D0292418

rowohlts monographien
begründet von Kurt Kusenberg
herausgegeben
von Wolfgang Müller

Arnold Zweig

mit Selbstzeugnissen
und Bilddokumenten
dargestellt von
Jost Hermand

Rowohlt

Dieser Band wurde eigens für «rowohlts monographien» geschrieben
Den Anhang besorgte der Autor
Herausgeber: Wolfgang Müller
Redaktion: Uwe Naumann
Redaktionsassistenz: Katrin Finkemeier
Umschlagentwurf: Werner Rebhuhn
Vorderseite: Arnold Zweig, 1960 (Foto: Edgar Kirschenbaum)
Rückseite: Arnold Zweigs Mitgliedskarte
im «Schutzverband Deutscher Schriftsteller», 1936
(Beide Vorlagen: Arnold-Zweig-Archiv, Berlin)

Veröffentlicht im Rowohlt Taschenbuch Verlag GmbH,
Reinbek bei Hamburg, Januar 1990

Satz Times (Linotronic 500)
Gesamtherstellung Clausen & Bosse, Leck
Printed in Germany
1080-ISBN 3 499 50381 6

Inhalt

Arnold Zweig (1928/29)

Herkunft und Studium (1887–1914)

Als Arnold Zweig am 10. November 1887 im niederschlesischen Glogau (heute Głogów) geboren wurde, herrschte in diesem Ort noch ein strenges Regiment. Glogau war damals preußische Garnisonsstadt, in der das dort stationierte Artillerieregiment den Ton angab. Und dem hatten sich die Bürger dieser Stadt, wenn sie einen Verdienst finden wollten, wohl oder übel anzupassen. Adolf Zweig, der Vater des Dichters, der aus einer oberschlesischen Familie kleiner Landjuden und Randare (Branntweinschenkenpächter) stammte und als junger Mann das Sattlerhandwerk erlernt hatte, war hier einer deutsch-holländischen Jüdin namens Bianca van Spandow begegnet und ansässig geworden. Nach der Eheschließung mit ihr hatte er das Fouragegeschäft seines Schwiegervaters übernommen und sich als Heereslieferant betätigt.[1]* Soweit schien sich das Leben des jungen Paares recht gut anzulassen. Als jedoch Anfang der neunziger Jahre das Preußische Kriegsministerium – wegen der verbreiteten antisemitischen Pogrome in vielen osteuropäischen Ländern – den Garnisonschefs den Ankauf landwirtschaftlicher Produkte von jüdischen Zwischenhändlern untersagte, um irgendwelchen Konflikten aus dem Wege zu gehen, machte Adolf Zweig in Glogau Bankrott. In dieser Situation blieb ihm nichts anderes übrig, als mit seiner Familie, zu der neben seiner Frau und dem kleinen Arnold noch zwei weitere Kinder – eine Tochter Ruth und ein Sohn Hans – hinzugekommen waren, 1896 nach Kattowitz (heute Kattowice) überzusiedeln, wo er Verwandte hatte, die ihm halfen, wieder seinen alten Sattlerberuf zu ergreifen und ein Geschäft für «Reitzeug, Koffer und Lederwaren» zu eröffnen.[2] Auf Grund seines unermüdlichen Fleißes stieg er hier zu einem wohlgelittenen Ladenbesitzer auf, ja wurde sogar zum Mitbegründer des jüdischen Handwerkervereins und Kassenverwalter der zionistischen Ortsgruppe, blieb aber letztlich ein Kleinbürger, der seinen Kindern weder geistig noch finanziell viel auf den Weg mitgeben konnte.

In Kattowitz trat der zehnjährige Arnold 1897 in die Sexta der dortigen Oberrealschule ein, auf der er bis 1906 (1903 durch ein Voluntärjahr in der Buchhandlung Siwinna unterbrochen) den Vorzug einer höheren Bil-

* Die hochgestellten Ziffern verweisen auf die Anmerkungen S. 136f.

Adolf Zweig vor seinem Geschäft in Kattowitz

dung genoß. Zweig hat später oft mit Nostalgie an diese *ausgezeichnete* Schule zurückgedacht, in der ein erstaunliches Maß an Freiheit geherrscht habe.[3] Schließlich wehte in der Großstadt Kattowitz, die mitten im oberschlesischen Industriegebiet lag, ein wesentlich liberalerer Wind als in dem zwar ländlich-traulichen, aber doch spießbürgerlich-engen Landstädtchen Glogau. Zu seinen Lieblingslehrern gehörten neben dem Direktor Jakob Hacks (dem Großvater des Schriftstellers Peter Hacks) vor allem sein Deutschlehrer Gustav Eisenreich, der ihm die nötige *Zucht und Ordnung* beibrachte, sowie sein Englischlehrer Bruno Arndt, der unter dem Pseudonym Karl Bittermann bei S. Fischer *solide erzählte Romane* publizierte.[4] Von seinen Mitschülern beeindruckte Zweig besonders der später als Maler bekannt gewordene Ludwig Meidner und der schon damals für Literatur aufgeschlossene Arnold Ulitz. Aber seine Hauptliebe scheint in diesen Jahren der Musik gegolten zu haben, die er bis zu seinem Tod zu *den wesentlichsten Freuden* seines Lebens zählte.[5] Deshalb lernte er nicht nur die Anfangsgründe des Geigenspiels, sondern besuchte bereits als Pennäler alle Konzerte, in denen jene *große Musik von Bach bis Mahler* erklang, welche vielen seiner gebildeten Generationsgenossen als der sublimste Kunstausdruck schlechthin erschien.[6]

Doch ganz so unproblematisch wird diese Schulzeit, wie Zweig sie manchmal schildert, nicht gewesen sein. Auch in Kattowitz gab es viel offenen und latenten Antisemitismus, den der kleine Arnold – ob nun auf der Straße oder in der Schule – immer wieder zu spüren bekam. Als reizbares, hochempfindliches Kind sah er sich darum früh in die Rolle eines Außenseiters gedrängt und zog sich zusehends in Kunst und Philosophie zurück, von denen er sich – in einem bildungsidealistischen Sinn – eine allmähliche Überwindung solcher als atavistisch empfundenen Affektentladungen erhoffte. Aus diesem Grund begann er bereits als Obersekundaner und Primaner, also um 1905/06, seinen Gefühlen und Geanken auch literarischen Ausdruck zu geben, und zwar mit der festen Absicht, wie er später erklärte, *das eigene Ich und die Gesellschaft, die es umgibt und beeinflußt, zu verändern, zu formen und zu verbessern*[7]. Für den hohen Grad seiner Bildung spricht, daß er schon als Achtzehn- und Neunzehnjähriger nicht nur Gedichte schrieb, was damals alle musisch interessierten Gymnasiasten taten, sondern zugleich Aufsätze über Hugo von Hofmannsthal, Thomas Manns «Buddenbrooks» und *Die Entwicklung der modernen Lyrik* verfaßte, in denen er die neuesten literarischen Strömungen höchst verständnisvoll in den Gesamtverlauf der deutschen Dichtung und Geschichte einzuordnen suchte.[8]

Die gleiche Tendenz, nämlich sich die Fluchtpunkte seines Lebens weniger auf politischer als auf ästhetischer Ebene zu setzen, ist für Zweigs Studienjahre kennzeichnend, die ihn an fünf deutsche Universitäten führten und seinen menschlichen, geistigen und künstlerischen Erfahrungshorizont zusehends erweiterten. Anfangs studierte er hauptsächlich Germanistik, Geschichte und moderne Sprachen (Französisch und Englisch), um sich für das höhere Lehramt vorzubereiten. Doch ebenso wichtig wurden ihm bald Fächer wie Philosophie, Kunstgeschichte und Psychologie,

Arnold Zweig mit seinen Geschwistern Ruth und Hans (um 1892/93)

in die er sich wesentlich besser einzufühlen verstand als in rein historisch oder philologisch ausgerichtete Disziplinen. Zweig begann sein Studium in Breslau (1907/08), ging dann nach München (1908/09), Berlin (1909–11), Göttingen (1911/12), Rostock (1911/12) und schließlich nochmals nach München (1913/14), widmete also seiner Universitätsbildung volle sieben Jahre. Ohne jeden Rückbezug auf Soziales oder Politisches gab er sich in diesem Zeitraum erst einmal seinen idealistischen Bildungsinteressen, das heißt einem «Leben im Geiste» hin. Wie viele der jungen Ästheten, Lebensphilosophen und Nietzscheaner um 1910 sah auch er den eigentlichen Sinn des Lebens vornehmlich in einem immer tieferen Eindringen in die Welt der Kunst und der philosophischen Ideen. *Meine ersten Semester*, schrieb er später im Hinblick auf diese kunstschwärmerische Zeit, *studierte ich in der schönen alten Kirchen- und Oderstadt Breslau und lernte Architektur und Mittelalter sehen und empfinden. Von der frühen Backsteingotik des mächtig aufgetürmten Domes bis zum geschwungenen und reichen Barock der Bischofspaläste auf der Dominsel – welch ein ununterbrochener Niederschlag kulturellen Werdens*

Die Mutter: Bianca Zweig, geb. van Spandow

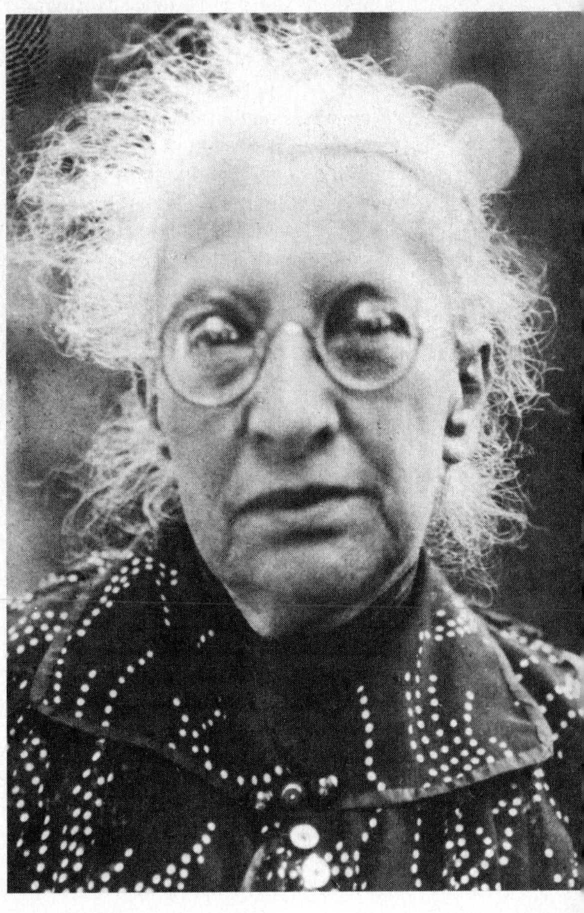

im Austausch zwischen Westen und Osten! Was für eine Schulung für einen angehenden Erzähler und Prosaisten... Von den intensiven Beziehungen zwischen sozialistischem und jüdischem Leben in Breslau merkte ich damals wenig, reichlich beschäftigt mit Studium und Leben.[9]

Was Zweig anfänglich am stärksten anzog, war das Studium der deutschen Literatur. Auf diesem Gebiet glaubte er als junger Scholar und Dichter, dem von seinen Eltern, aber auch ihm selbst als richtig empfundenen Lebensplan am ehesten Genüge zu leisten, nämlich das Studieren und das Schriftstellern zu einer sinnvollen Einheit zu verschmelzen und damit eine Synthese von Beruf und Berufung zu erreichen. Er besuchte daher immer wieder germanistische Seminare und Vorlesungen, besonders bei Max Koch und Theodor Siebs in Breslau, Erich Schmidt in Berlin, Wolfgang Golther in Rostock sowie Hermann Paul in München, ja begann sogar eine Dissertation über den frühverstorbenen Aufklärer Paul Jakob Rudnik (1718–41) aus dem Halberstädter-Gleim-Kreis zu schreiben, die er jedoch nie abschloß. Was Zweig davon abhielt, war vor allem das im strengen Sinne Philologische, das heißt ein professionalisierter Umgang mit Literatur, der ihm wie eine Entwürdigung des auf diesem Gebiet in freier Geistestätigkeit Geschaffenen erschien. Werke der Kunst waren für ihn, der nach Bildung, aber nicht nach Ausbildung strebte, keine entfremdeten Wissenschaftsobjekte, sondern Gegenstände höchstpersönlicher Reflexion und Verehrung, an denen er sich erbaute oder die er zur Selbstverständigung über den Sinn des eigenen Lebens heranzog.

Auf diese Weise geriet Zweig immer stärker in den Umkreis einer philosophisch orientierten Ästhetik, mit der ihn vor allem der Kunsthistoriker Emil Utitz vertraut machte, bei dem er insgesamt sechs Vorlesungen und Seminare belegte. Nicht minder wichtig empfand er gegen Ende seines Studiums jene philosophischen Systeme und Strömungen, die ihm bei seinen eigenen weltanschaulichen Standortbestimmungen als hilfreiche Erkenntnismodelle des menschlichen Geistes erschienen, nämlich «Platons Ideenlehre, Spinozas Rationalismus, Kants Ethik, Nietzsches Dekadenzphilosophie, Friedrich Wilhelm Foersters Moralpädagogik, Husserls Phänomenologie und Martin Bubers Neochassidismus»[10]. Wohl am meisten zog Zweig vorübergehend die Phänomenologie an, wie sie zu diesem Zeitpunkt in Göttingen von Edmund Husserl, Max Scheler und Adolf Reinach sowie in München von Moritz Geiger und Theodor Conrad gelehrt wurde.

Eine bedeutsame Rolle spielte hierbei die Tatsache, daß viele Exponenten dieser Richtung Juden waren, das heißt wie Zweig aus der Welt der sie bedrohenden gesellschaftlichen Realität in die abstrakte Welt der reinen Phänomene zu fliehen suchten und eine in den Bereich der idealistischen Wesensschau erhobene Außenseiterposition vertraten. Vor allem Husserl forderte seine Göttinger Studenten immer wieder auf, einen

Als Student (1911)

«supranaturalen» Standort einzunehmen, also die «Welt der Tatsachen und Vor-Meinungen» einfach «auszuklammern» und in ihrem Denken eine rein «apriorische» Position zu beziehen.[11] Nicht minder faszinierend empfand der junge Zweig jenen Stufenbau der ethischen Werte, den Max

Scheler damals entwarf, der ebenfalls in einem «transsozialen» Bereich angesiedelt war und in der These kulminierte, daß sich ein wirkliches Erkennen der Welt nur auf der Grundlage einer liebenden Teilhabe erreichen lasse und der Mensch demzufolge in erster Linie ein liebendes Wesen (ein «ens amans») sein müsse.

Was darum für den Studenten Zweig zwischen 1912 und 1914 zum zentralen Anliegen wurde, war eine immer nachdrücklicher betriebene Identitätssuche. Statt sich wie die meisten seiner aus wohlhabenden und gesellschaftlich kultivierten Familien stammenden Kommilitonen an das politisch und sozial Vorgegebene zu halten, verstand dieser kleinbürgerlich-jüdische Außenseiter unter universitärer Bildung weniger einen äußeren Schliff als etwas Tief-Innerliches, was aus der eigenen Existenz gespeist wird. Das übliche Studententreiben blieb ihm deshalb weitgehend fremd. Um so intensiver suchte Zweig den vertrauten Umgang mit ihm verwandten Seelen, vor allem anderen jungen Juden und Jüdinnen, die diesen Zwiespalt, nämlich gesellschaftliche Außenseiter und kulturelle Innenseiter zu sein, ebenso schmerzlich empfanden wie er. Unter den kulturbegeisterten, philosophisch interessierten Studentinnen, denen er in diesen Jahren begegnete, zog ihn am stärksten Helene Joseph an, die er im Wintersemester 1911/12 in Göttingen kennenlernte und mit der er im Sommersemester 1912 in Rostock einen lebhaften Briefwechsel begann.

Dieser Briefwechsel erlaubt wohl den besten Einblick in seine damalige Geistes- und Seelenlage. In ihm klagte Zweig immer wieder, daß er *hier niemanden habe*, der ihn verstehe, daß er sich wie *in einem fremden Lande* fühle, daß er wie ein *Einsiedler* lebe, *der Wert auf wertvolle Menschen* lege usw.[12] Was ihn wirklich beschäftige, heißt es mit deutlich werbendem und liebendem Unterton, sei vornehmlich die durch das Studium vermittelte Geisteswelt. Dementsprechend schrieb er seinem hochgebildeten und zugleich angebeteten *Fräulein Helene*, die später als Übersetzerin Ortega y Gassets bekannt wurde, wie er sich lieber mit Kunsttheorie und Philosophie als mit seiner Dissertation befasse, wie er für Scheler schwärme, wie viel ihm die «Logischen Untersuchungen» Husserls bedeuteten, wie wichtig ihm die Schriften Freuds seien und wie es ihn überhaupt immer stärker zum *Dichten*, zur *Philosophie und Ästhetik* als zur Germanistik dränge.[13] Einzig und allein in der Judenfrage kam es zwischen beiden zu Differenzen. In diesem Punkt bezog Helene Joseph, die kurze Zeit darauf den nichtjüdischen Mathematiker Hermann Weyl heiratete, einen über allen völkischen Zuweisungen befindlichen Standort, während Zweig trotz klarer Absage an die religiösen Aspekte des Jüdischen und trotz nachdrücklicher kultureller Identifikation mit dem Deutschtum seine Zugehörigkeit zum jüdischen Volk bereits in diesen Jahren in einem gefühlszionistischen Sinn verstand.

Was das Jüdische betraf, wird Zweig mit der jungen Beatrice Zweig, die

Beatrice Zweig in München (Sommer 1914)

eine entfernte Cousine von ihm war und in die er sich zur gleichen Zeit verliebte, wohl einen besseren Rapport gehabt haben. Margarete Beatrice Zweig (vom ihm erst Bice, dann Dita genannt) stammte aus einer wohlsituierten Familie, interessierte sich für Fragen des Zionismus, hörte ebenfalls philosophisch-kunsttheoretische Vorlesungen und versuchte sich zugleich unter Lehrern wie Leo König, Ludwig Meidner und Georg Ehrlich zur Malerin auszubilden.[14] Ihr Vater war ein Berliner Kaufmann, der ein angesehenes Engrosgeschäft für Herrenschneiderartikel besaß und sich für seine Töchter (Beatrices Schwester Miriam studierte damals Musik) elegante und wohlhabende Schwiegersöhne wünschte. Er trat darum dem jungen Zweig, den er als Vertreter der oberschlesischen Mischpoke empfand, von vornherein mit Mißtrauen entgegen, ja untersagte seiner Tochter jeden weiteren Umgang mit diesem Mann. Deshalb konnten sich Arnold und Beatrice, deren Liebe 1912/13 immer heftiger entbrannte, nur mittels postlagernder Briefe verständigen. Doch gerade das scheint sie immer enger verbunden zu haben.

Im Sommer 1913 setzte Beatrice bei ihren Eltern durch, in München weiterstudieren zu können, um dem Geliebten endlich nahe zu sein. Vom Mai 1913 bis zum August 1914 waren daher die beiden endlich vereint, fuhren heimlich in die bayerischen Alpen, machten eine hochgestimmte Kunstreise nach Oberitalien, bezogen in Solln vorübergehend eine gemeinsame Wohnung und versuchten – trotz vieler Ängstlichkeiten, seelischer Hemmungen und erotischer Inhibitionen – ihrer jungen Liebe ein Äußerstes an Glück abzugewinnen. Aber auch das Geistige kam in diesem Bund nicht zu kurz. Nicht nur, daß beide stundenlang in Antiquariaten kramten oder Ausstellungen besuchten; Zweig sah auch zu, daß Beatrice eine Hörerkarte bekam, um mit ihm die gleichen Vorlesungen besuchen zu können.[15] Wie sehr ihn dieses Gefühl der Zusammengehörigkeit in Begeisterung versetzte, geht vor allem aus seinen Briefen an Helene Weyl hervor, die er in diesem Zeitraum zu einer Art Seelenschwester erkor und der er sein ganzes Herz offenlegte. An sie schrieb er im Juli 1913 über Beatrice, daß es ihm in den letzten Monaten vor allem darum gegangen sei, *das Mädchen, das ich liebe, aus den Händen von Menschen zu befreien, die es folterten und denen zu widerstehen ihm lange nicht mehr möglich sein konnte*. Ihre Mutter *hasse* die arme Beatrice geradezu. Doch all das sei jetzt vorbei. *Das Unbegreifliche ist Realität, das Mädchen ist frei, ist hier*, heißt es aufjubelnd, *wir sind beieinander (wenngleich heimlich); wir sind glücklich. Das Eis*, lesen wir weiter, *das mich so lange, vier Jahre fast, einschloß und erstarrte, geht langsam fort... Ich lerne langsam Glücklichsein.*[16]

Auf Grund dieses neugewonnenen Selbstbewußtseins ließ Zweig auch im Hinblick auf sein Studium plötzlich alle Rücksichten fahren, das heißt entschied sich gegen die Promotion, gegen einen als spießbürgerlich empfundenen Brotberuf, und entschloß sich, von nun an ganz seinen eigenen Neigungen zu folgen, nämlich freier Schriftsteller zu werden, was ihm als Ziel – bewußt oder unbewußt – von Anfang an vorgeschwebt hatte. Hinzu kam, daß zu diesem Zeitpunkt bereits einige seiner frühen dichterischen

Versuche im Druck erschienen waren, was Zweigs Selbstwertgefühl zwangsläufig einen starken Auftrieb gab. Auf der Grundlage solcher menschlichen und schriftstellerischen Erfolgserlebnisse schrieb er am 1. Dezember 1913 aus München an seine Eltern in Kattowitz, die immer noch darauf hofften, daß er sein Studium endlich mit einem guten Examen abschließen würde: *Ich bin freilich schon 26 Jahre alt und hoffe, auch noch älter zu werden; wenn ihr aber glaubt, daß ich eines Tages umschwenke und ein harmloser, unauffälliger und unbrauchbarer Normalbürger werde... so will ich euren Irrtum lieber gleich als später zerstören. Ich werde jede annehmbare Stellung annehmen, die sich mir bietet, aber ich werde keine unannehmbare annehmen. Ich bin in erster Linie ein Schriftsteller, der seinen Namen hat, und der in der Zukunft wohl noch einen besseren sich machen wird.*[17]

Als Zweig diese Zeilen niederschrieb, war er zweifellos bereits ein Schriftsteller, *der seinen Namen hat.* Der Münchner Hyperion Verlag hatte 1910 seinen Sonettzyklus *Der Englische Garten* publiziert. 1911 waren bei Langen in München seine *Aufzeichnungen über eine Familie Klopfer* und 1912 bei Kurt Wolff in Leipzig seine *Novellen um Claudia* erschienen. Ein Jahr später brachte Ernst Rowohlt, damals ebenfalls noch in Leipzig, Zweigs *Abigail und Nabal* heraus. Vier Bücher mit Gedichten, Erzählungen und einem Drama bei vier angesehenen Verlagen: das war für einen jungen Autor eine höchst stattliche Bilanz – und erklärt zugleich, warum aus dem immer wieder in Angriff genommenen Dissertationsprojekt schließlich doch nichts wurde. Letztlich war es nicht das Streben nach irgendeinem Universitätsdiplom, das Zweig in diesen Jahren mit der nötigen Motivation versah, sondern der Wunsch, publiziert zu werden, sich einen Namen zu verschaffen, und zwar als jüdischer Schriftsteller deutscher Kultur, der nicht gesonnen war, auf die Besonderheit seines Herkommens zu verzichten und doch von den anderen als einer der ihren anerkannt werden wollte.

Genau betrachtet, läßt sich dieses Streben, nämlich die Laufbahn eines freien Schriftstellers einzuschlagen, bei Zweig bis in seine Schulzeit zurückverfolgen. Schon als Obersekundaner und Primaner versuchte er sich, wie wir gehört haben, im schweren Geschäft der Schriftstellerei. Dieser Ehrgeiz, sich künstlerisch auszudrücken, war während seines Studiums von Semester zu Semester immer größer geworden. Als Vorbilder schwebten ihm neben den Klassikern der Weltliteratur, mit denen er bereits in der Schule vertraut geworden war, so unterschiedliche Gegenwartsautoren wie Hugo von Hofmannsthal, Detlev von Liliencron, Thomas Mann, Heinrich Mann, Hermann Hesse, Gerhart Hauptmann, Frank Wedekind, Martin Buber, aber auch Autoren der neujüdischen Literatur Polens und Rußlands vor. Neben der Gedichtform, die er später nur noch für Gelegenheitszwecke aufgriff, wählte dabei Zweig zu Anfang vor allem narrative Genres wie den Bericht, die Aufzeichnung, die No-

Als Münchner Student (1914)

velle und den Roman, die offenbar seinem nach unmittelbarer Kommunikation drängenden Wesen am ehesten entgegenkamen.

Die ersten Versuche auf erzählerischem Gebiet fallen in das Jahr 1907/08, als Zweig in Breslau an einem Roman zu arbeiten begann, in dem es um das Schicksal eines jungen Musikers gehen sollte und dem er den vorläufigen Titel *Die Stationen des Johannes Grimm oder die Vergitterten* gab. Das erste Kapitel aus diesem Werk las er 1908 in Kattowitz jenen Freunden vor, mit denen er zeitweilig eine literarische Revue unter dem Titel *Die Gäste* edierte. Aber schon nach wenigen Kapiteln scheint er dieses Projekt wieder aufgegeben zu haben.[18] In die gleiche Zeit fallen kleine Liebesgeschichten wie *Tangente* und *Vorfrühling*, die er 1909 in *Die Gäste* publizierte. Auch die Erzählung *Esmonds gute Zeit*, aus der sich später der Roman *Versunkene Tage* entwickelte, wurde bereits damals konzipiert. Doch als seinen eigentlichen *Durchbruch, nämlich zu erzählen und Deutsch zu schreiben*, hat Zweig stets die *Aufzeichnungen über eine Familie Klopfer* hingestellt, deren erste Fassung er im Jahre 1909 niederschrieb.[19] Wegen der offen eingestandenen Absicht, sich so direkt, so persönlich, so «realistisch» wie nur möglich auszudrücken, haben fast alle diese Werke einen deutlich autobiographischen Zug. In *Esmonds gute Zeit* ist es die Titelfigur, in den *Aufzeichnungen über eine Familie Klopfer* die Figur des Peter Klopfer, die an Doppelgänger seines Selbst gemahnen. Wie in dem Romanfragment *Die Verstrickten* von 1910/11, in dem Zweig die Erlebnisse eines jüdischen Studenten an der Breslauer Universität darstellen wollte, verwandte er hierbei als Handlungsvorwürfe meist Liebeserlebnisse seiner eigenen Studienzeit, die er durch eingelegte Kunstgespräche ins Bedeutsame zu erhöhen suchte.

Eine Ausnahme in dieser Hinsicht bilden lediglich die *Aufzeichnungen über eine Familie Klopfer* (geschrieben 1909, veröffentlicht 1911). In ihnen griff Zweig wesentlich weiter aus, orientierte sich an den «Buddenbrooks» und entwarf an Hand von vier Generationen aus dem Osten eingewanderter Juden eine weitverzweigte Familiengeschichte, an deren Anfang ein tüchtiger Kaufmannsgeist und an deren Ende eine Verklärung ins Dekadent-Ästhetische steht. Aus osteuropäischen Juden werden in diesem Roman im Prozeß der Assimilierung schließlich Deutsche mit *mosaischer Konfession*, welche *die heilige Sprache* nur noch *mangelhaft verstehen* und sich den Anschein von Westlern geben, um endlich in *besseren Umgebungen* wohnen und arbeiten zu können. Einer davon wird wie Zweigs Vater im Verlauf dieser Angleichung zum Sattlermeister und empfindet sich als durchaus *liberal, obwohl er*, wie es heißt, *innerlich weiterhin dumpf an seinem hebräischen Gotte hing*[20]. Trotz dieser halbreligiösen Haltung bemüht er sich, seinen Kindern *jenes Tor nach oben zugänglich zu machen, jene geistige Pforte zur Höhe und Weite des Lebens, die ihnen, den Eltern, anscheinend für immer verboten blieb*[21]. Sein Sohn Peter, in dem sich Zweig selber darzustellen versuchte, schwärmt daher von Anfang an für die Wunderwerke der deutschen Kultur, schreibt Gedichte und Dramen und bleibt dennoch ein Außenseiter, der von seinen Mitschülern scheel als *Judenjunge* angesehen wird. Auf Grund dieser Erfahrungen wandert Peter Klopfer, wenn auch mit dem frohen Gefühl, vorher *noch von Europas Quellen getrunken zu haben*, nach Palästina aus.[22] Allerdings findet er selbst in diesem Land nicht die erhoffte «Erlösung» und muß erleben, daß sein Sohn Heinrich von einer unheilbaren Krankheit befallen wird und mit dessen Tod – wie im Falle Hanno Buddenbrooks – das Geschlecht der Klopfer schließlich zu Ende geht.

Ein ähnlicher Widerspruch liegt der Erzählung *Quartettsatz von Schönberg* zugrunde, die den dritten Teil des Romanfragments *Brüder* bildet, das aus den gleichen Jahren stammt. In ihr ist es der junge Eli Saamen, der nach Palästina auswandert, jedoch am letzten Abend in Deutschland noch ein Konzert besucht, bei dem am Schluß ein Quartett des Juden Arnold Schönberg gespielt wird, welches ihn so beeindruckt, daß er sich innerlich gelobt, schon im nächsten Jahr wieder nach Europa, ins Land der Kultur, zurückzukehren. Demzufolge schließt diese Geschichte mit den jubelnden Worten: *O Wiederkehr! O Wiederkehr!*[23]

Während den *Aufzeichnungen über eine Familie Klopfer* – wohl wegen ihrer eindeutig «jüdischen» Ausrichtung – nur ein bescheidener Achtungserfolg beschieden war, verschafften die ein Jahr später veröffentlichten *Novellen um Claudia* dem jungen Zweig geradezu über Nacht eine relativ große Leserschaft. In diesen sich zu einem Roman zusammenschließenden Geschichten, die er selbst als einen *romanartigen Novellenkranz* im Sinne von Kellers «Sinngedicht» charakterisierte[24], geht es vornehmlich um die Kunst- und Liebesprobleme einer kleinen Gruppe hochgebildeter und musisch interessierter junger Menschen. Mit einem solchen Werk sprach Zweig genau jene Schicht an, die sich – unter Absehung aller politischen und sozialen Fragen – im Rahmen der «machtgeschützten Innerlichkeit» dieser Ära ganz ihren eigenen Neigungen hingab und so in den Bereich eines ästhetisierenden Sezessionismus geriet. Im Mittelpunkt steht diesmal *ein junger Dozent mit winzigen Einnahmen* namens Walter Rohme, der deutlich autobiographische Züge trägt.[25] Claudia Eggeling, die junge Dame aus sogenanntem gutem, sprich: reichem Haus, die ihn unwiderstehlich anzieht, weist dagegen viele *Analogien* zu Helene und Beatrice auf.[26]

Wie in einem Wunschtraum nimmt Zweig in den *Novellen um Claudia* die endgültige Vereinigung mit einer aus tiefstem Herzen und mit allen Fasern seines Leibes geliebten Frau vorweg. Geschildert wird darum nicht nur der Zustand des Verliebtseins, sondern auch eine aus dem Zustand der Ängstlichkeit in einen Riesenrausch übergehende Hochzeitsnacht sowie die darauf folgende Zweisamkeit, die durch die Beichte aller bisherigen sündhaften Verfehlungen fast eine höhere Weihe erhält. Diesen relativ schmalen Handlungsstrang reichert Zweig im Verlauf der Erzählung ständig mit langen Gesprächen über Literatur, Kunst und Musik an. Daher ist neben Liebesproblemen auch viel von Musiksoireen, Quartettaufführungen, Radierungen, Holzschnittmappen, Erstausgaben, wertvollen Meubles und anderen schönen Erlesenheiten die Rede, zwischen denen sich ein Leben voller seelischer Delikatesse, erotischer Andeutungen und ästhetischer Hochgefühle abspielt, das zwar deutlich ans Luxuriöse grenzt, jedoch in eine Sphäre des innigsten Vertrautseins, der

Beatrice und Miriam Zweig (um 1913/14)

zartesten Berührungen und damit einer Form von Menschlichkeit eingebettet ist, die durch ihre innere Wärme selbst einen kritischen Leser mit der von Zweig geschilderten Kunstwelt versöhnt. Im Gegensatz zu den *Aufzeichnungen über eine Familie Klopfer*, an deren Ende Dekadenz und Selbstmord stehen, siegt in den *Novellen um Claudia* letztlich eine Liebesvorstellung, die sich inmitten der allgemeinen gesellschaftlichen und seelischen Unsicherheit als ein zutiefst humanisierendes Element erweist. Die Fortsetzung dieses «Romans», die Zweig ursprünglich plante, wurde allerdings nie geschrieben. Um wirklich ins Epische auszugreifen, dazu war die in diesem Werk dargestellte gesellschaftliche Basis einfach zu schmal.

Die zur gleichen Zeit geschriebenen Erzählungen, die zum Teil in Zweigs *Geschichtenbuch* von 1916 eingegangen sind, bewegen sich selten auf demselben Niveau.[27] Fast alle sind Erzählungen, in welchen es um junge, hochgebildete Außenseiter geht, die sich wie Tonio Kröger von der merkantilen Welt der Bourgeoisie angeekelt fühlen und sich in Kunst, Natur oder Liebe aus der gesellschaftlichen Wirklichkeit ausgegrenzte Innenräume schaffen, wo sie sich ganz ihren privaten Interessen hingeben

Hermann Struck:
«Polnischer Rabbiner»
(1901)

können. Daher wirken auch sie, ob nun in ihrer stolzen Verachtung der rohen Umwelt oder ihrem keuschen Liebesglück, ausgesprochen sympathisch. Sicher waren manche dieser Erzählungen lediglich Gelegenheitsarbeiten, mit denen der Student Zweig sein schmales Einkommen aufzubessern versuchte. Dennoch weisen sie in ihrer psychologischen Einfühlungsgabe und realistischen Detailliertheit, die einen betont antimodernistischen Charakter haben, schon auf jene Schreibweise voraus, die Zweig dann voll in den zwanziger Jahren entwickelte.

Einen wesentlich höheren literarischen Einsatz verraten dagegen Zweigs Dramen aus dem gleichen Zeitraum, mit denen er sich als wahrer Dichter ausweisen wollte. Sein erster Versuch auf diesem Gebiet war die biblische Tragödie *Abigail und Nabal*, die er 1909 niederschrieb und in der er sich einerseits Friedrich Hebbels «Judith» und «Gyges und sein Ring», andererseits Maurice Maeterlincks «Monna Vanna» und Oscar Wildes «Salome» zum Vorbild nahm. Im Zentrum steht hier jener Streitfall zwischen dem reichen Herdenbesitzer Nabal und dem jungen Heerführer David, der im 1. Buch Samuelis geschildert wird, den jedoch Zweig eindeutig poetisiert und zugleich erotisiert, indem er Abigail als eine femme fatale auftreten läßt, die ihren Mann durch ihr undurchschaubares Wesen schließlich zum Selbstmord treibt.

Während dieses Stück nur wenig Anklang fand, machte Zweig mit seinem zweiten Drama, dem *Ritualmord in Ungarn*, das er im Dezember 1913 *in sieben Tagen* niederschrieb[28], um so mehr Furore. In ihm geht es um eine «wahre Geschichte», die sich 1882/83 im ungarischen Städtchen Tisza Ezlar zugetragen hatte. Die Handlung beginnt damit, daß ein tyrannischer Großgrundbesitzer ein ungarisches Mädchen zu vergewaltigen versucht und sich an ihrem Tod mitschuldig macht. Als man die Leiche dieses Mädchens einige Tage später am Flußufer findet, werden für diesen Mord sofort die Juden des Ortes verantwortlich gemacht, wodurch es zu massiven antisemitischen Ausschreitungen kommt. Darauf läßt sich Moritz, der Sohn des Synagogendieners, von einem ehrgeizigen Staatsanwalt durch gleisnerische Versprechungen, später studieren zu dürfen und ein großer Mann zu werden, in die Falle locken, seinen eigenen Vater des *Ritualmords* zu bezichtigen. Erst als ein liberaler Verteidiger die Unmöglichkeit dieses Mordes beweist, ebbt der Haß auf die Juden wieder ab. Der kleine Moritz nimmt sich daraufhin aus Reue das Leben. Daß Zweig für diesen Jungen so viel Verständnis aufbringt, ja dessen Handlungsweise auf den durchaus gerechtfertigten Wunsch zurückführt, aus der hier geschilderten Misere herauszukommen, wirkt letztlich viel provozierender, als wenn dieses Stück auf eine moralische Verdammung hinausgelaufen wäre. Nicht Moritz ist bei ihm der Angeklagte, sondern die Gesellschaft, welche die Juden zu einem unwürdigen Gettodasein verurteilt. Eine Aufführung dieses Werks, das Zweig später in *Die Sendung Semaels* umbenannte, kam trotz positiver Rezensionen im Jahr seines Erscheinens nicht mehr zustande. Durch den Kriegsbeginn im August 1914 wurde es unmöglich, ein Drama auf die Bühne zu bringen, das sich als ein Angriff auf das verbündete Österreich-Ungarn interpretieren ließ. Und so erhielt Zweig für *Ritualmord in Ungarn* zwar 1915 den begehrten Kleist-Preis, konnte jedoch die Uraufführung dieses Stücks erst im Jahre 1919 miterleben.

Arnold Zweigs letztes Drama aus diesem Zeitraum, das Schauspiel in fünf Akten *Die Umkehr des Abtrünnigen*, entstand zwischen dem 28. Juli und dem 28. August 1914[29], also mitten während der ersten Kriegsunruhen. Stofflich angeregt wurde er zu diesem Werk durch das Buch «Die Legende des Baalschem» (1908) von Martin Buber, wo Zweig eine Geschichte fand, in der sich Jochanan ben Meir von Wilna im Westen taufen läßt, zum Fürstbischof von Brixen aufsteigt, ja sich in einen der ärgsten Unterdrücker der Juden verwandelt, bis ihn Israel ben Elieser von Miedzyborz, genannt Baalschem, der Stifter der ostjüdischen Chassidim-Bewegung, dazu aufruft, seine Untaten einzustellen und wieder zum Judentum zurückzukehren. Aus dieser Erzählung wird bei Zweig ein aufs Höchste verinnerlichter, psychologischer Prozeß, der häufig in Szenen eines verzweifelten jüdischen Selbsthasses kulminiert, in denen der Abtrünnige gegen sich selber wütet und erregt aufschreit: *Ich bin ein Mörder! Aus Rachsucht, aus Rache! Aus Raserei der Verzweiflung, weil ich loswollte vom Juden und festklebte an ihm! Festgenäht wie an einen Leichnam mit meiner Haut! Ich trat nach mir – aber es traf die Schuldlosen.*[30] Worauf dieser Wandlungsprozeß hinauslaufen sollte, ist nicht zu ermitteln, da Zweig den zweiten Teil dieses Werks, der *Das Ziel* heißen sollte, nie geschrieben hat.

Daß dieses Drama ein Fragment blieb, hängt sicher nicht allein mit Zweigs Ambivalenz der jüdischen Religion gegenüber zusammen. Dafür ist auch der Beginn des Ersten Weltkriegs mitverantwortlich, der ihn als assimilierten Juden, deutschen Bildungsbürger und angesehenen Schriftsteller mit Fragen konfrontierte, auf die er weitgehend unvorbereitet war. Wie fast alle jungen Ästheten dieser Ära, die selbst diesem Phänomen einen Zug ins Höhere abzugewinnen suchten, glaubte auch der junge Zweig lange Zeit, daß es in diesem Krieg vornehmlich um die kulturelle Mission des deutschen Volkes gehe. Erst 1916 wurde es für ihn, der sich kulturell als Deutscher und völkisch als Jude fühlte, allmählich immer problematischer, für den Staat, in dem er lebte, die Waffe oder auch nur den Spaten zu ergreifen. Mit welchem Vaterland sollte er sich in diesem Krieg, in dem nicht nur Deutsche auf Franzosen, Engländer oder Russen, sondern auch Juden auf Juden schossen, eigentlich identifizieren: dem waffenstarrenden Reich wilhelminischer Prägung, dem Idealland deutscher Kultur oder irgendeinem erträumten Israel, von dem sich bisher nirgendwo konkrete Umrisse abzeichneten?

Das Erlebnis des Ersten Weltkriegs (1914–18)

In den Augustwochen des Jahres 1914 gab sich der junge Zweig, wie fast alle wilhelminischen Bildungsbürger, erst einmal der Woge der vaterländischen Begeisterung hin. Am liebsten wäre er gleich freiwillig in die Armee eingetreten, so sehr befeuerte ihn der ins Ästhetische verklärte «Heldengeist» dieser Zeit, in dem gerade die sogenannten Gutwilligen einen Aufbruch aus bürgerlicher Philistergesinnung und kapitalistischer Raffgier ins Große, Erhabene, Idealistische sahen. Da Zweig jedoch schon 27 Jahre alt war und zudem eine schwache Sehkraft hatte, wurde er «bis zu weiterer Verwendung» unter die Reservisten eingestuft. Im Zuge dieser Entwicklung mußten er und Beatrice ihr heimliches Zusammenleben sowie ihr Studium in München aufgeben und sich vorübergehend trennen. Sie ging zu ihren Eltern nach Berlin, er zu seinen Eltern nach Kattowitz zurück, um dort auf die Einberufung zu warten. Da diese jedoch nicht sofort erfolgte, begab sich auch Zweig nach Berlin und begann sich wenigstens schriftstellerisch in den Dienst der Forderung des Tages zu stellen.

Einen guten Einblick in seine damalige Stimmungslage erlaubt ein Brief vom 27. August 1914 an Helene Weyl, in dem Zweig erklärte, daß er zutiefst beeindruckt sei, wie durch den Kriegsausbruch aus einem *Volke ichsüchtiger Krämer und patriotisch-politischer Phrasendrescher ein großes, tüchtiges deutsches Volk* geworden sei. *Der fette Bürger, unser Antagonist*, heißt es hier, *lernt plötzlich wieder sich einzuordnen, opfern, echt fühlen, er verliert seine moralische Häßlichkeit, er wird schön!* Und Zweig gestand, daß auch er von der *im tiefsten verbindenden Kraft der «Kulturgemeinschaft»*, die es bisher in dieser Form nur in Ansätzen gegeben habe, geradezu überwältigt worden sei. *Das große Deutschland ist wieder da*, heißt es im folgenden, *die klare ungeheuer geniale Kälte der Kantischen Intuition und das Feuer Beethovenscher Allegretti und Scherzi spukt in der deutschen Kriegsführung, die tragende Ordnung «romanisch»-deutscher Fassaden und der gefaßte, schweigsame Griffel Holbeinscher Zeichnungen gibt sich kund im Rhythmus des organisatorischen Lebens der Daheimgebliebenen. Und über allem hängt die furchtlose Nähe des Todes (und des Teufels Schrecken) aus Dürers großem Blatt. Der Ritter reitet.* Doch nicht allein seinen Bildungsidealismus, sogar sein Judentum brachte Zweig in diese Begeisterung ein, indem er auch als *jüdischer Mensch*, wie er an

Helene schrieb, *einen leidenschaftlichen Anteil an unseres Deutschlands Geschick nehme, ja auf seine ihm eingeborene jüdische Art die deutsche Sache zu seiner Sache mache*. Da er jedoch so *schlecht sehe, stürme* er erst einmal *Land*, das heißt warte auf seine Einberufung zum Landsturm – *und schreibe*.[31]

Bis zum April 1915, als Zweig schließlich eingezogen wurde, verfaßte er vor allem kurze Kriegserzählungen, von denen allein im «Simplicissimus» zwischen dem 25. August und dem 15. Dezember 1914 fünf heraus-

Zweig als Armierungssoldat in Lille (1915)

Fritz Erler: «Handgranatenwerfer» (1914)

kamen (*Turkos im Park Schwetzingen, Der Kaffee, Der Feind, Die Quittung* und *Der Schießplatz*). In diesen Geschichten wird der Krieg gar nicht so poetisiert, wie man nach dem voraufgegangenen Phrasenschwall erwartet hätte, sondern eher als ein unvermeidliches Naturereignis dargestellt, bei dem es weniger um Ideelles als um menschliche Grunderlebnisse wie Mut, Kameradschaft, Stolz, Leid oder Sterben geht. Wohl die bekannteste seiner frühen Kriegsgeschichten ist die kleistisch verknappte Novelle *Die Bestie*, die am 17. Dezember 1914 in der «Schaubühne» erschien. In ihr erfährt man, wie ein belgischer Bauer drei ahnungslos eingeschlafenen deutschen Soldaten nachts mit seinem Rasiermesser die Kehlen durchschneidet und dafür am folgenden Tag hingerichtet wird. Obwohl Zweig, der damals noch blindlings *der grundsätzlichen Ehrlichkeit der deutschen Berichterstattung* über *die belgischen Greuel* traute[32], wie er später schrieb, diese Geschichte mit chauvinistischer Absicht geschrieben hatte, fand sie die wilhelminische Militärzensur wegen ihrer forcierten Härte für das idealistisch eingestellte bürgerliche Lesepublikum schlechterdings unzumutbar, weshalb sie das Heft der «Schaubühne», das *Die Bestie* enthielt, sofort konfiszieren ließ.[33]

Auch in anderen Beiträgen zur «Schaubühne» legte Zweig in diesen Wochen und Monaten eine eindeutig nationalistische Haltung an den Tag, das heißt setzte sich im Sinne aller «wahren Vaterlandsfreunde»

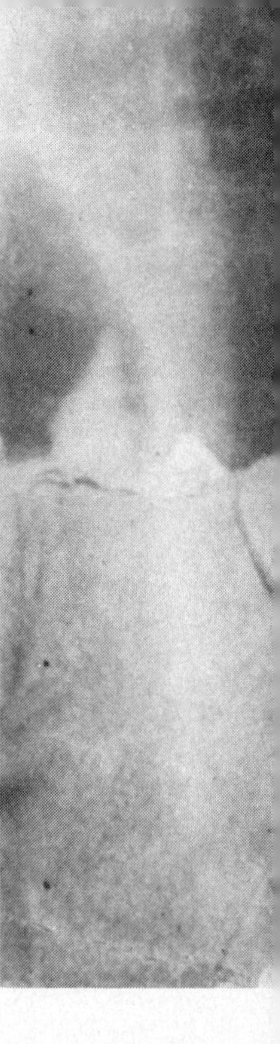

Hochzeitsbild (5. Juli 1916)

für einen *Siegfrieden* ein.[34] Immer wieder bekannte er sich zu Deutschlands Größe, Deutschlands Stärke, Deutschlands erhabener Kulturmission, als gebe es nichts anderes auf der Welt.[35] Als höchstes Leitbild einer solchen Gesinnung schwebte ihm in diesem Zeitraum das Buch «Der Genius des Krieges und der deutsche Krieg» (1915) von Max Scheler vor, von dem er in der «Schaubühne» schrieb, daß es durchaus *repräsentativ* für die besten Vertreter des Deutschtums sei, weil es den Krieg als eine gewaltige *Steigerungsform des Lebens*, als einen Aufbruch zum Kampf gegen den *englischen Krämergeist* charakterisierte.[36] Wie lange Zweig diese weltanschauliche Position vertrat, belegt noch sein Aufsatz *Kriegsziele*, der im Dezember 1915 in den «Süddeutschen Monatsheften» erschien und in dem er weiterhin die nationale *Selbstbehauptung* als den eigentlichen Antrieb zum Krieg hinstellte.[37]

Seinen Einberufungsbefehl erhielt Zweig am 23. April 1915. Er begab sich daraufhin sofort in die Garnisonsstadt Küstrin und wurde unter die Armierer, das heißt unbewaffneten Arbeitssoldaten, eingereiht. Um dem ständigen Drill und der damit verbundenen Langeweile zu entgehen, mel-

dete er sich im August des gleichen Jahres freiwillig nach Flandern. Dort diente er bis Oktober bei einer Schipperkompanie in der Gegend von Lille. Anschließend war er bis Dezember 1915 in Südungarn und dann bis April 1916 in Serbien. In beiden Ländern mußte Zweig im Gefolge der schweren Artillerie «Straßen instandsetzen, Erde karren und Munition transportieren»[38]. Im Frühjahr 1916 kam er schließlich über Wien und München nach Frankreich, wo er dreizehn Monate lang in der unmittelbaren Nähe von Verdun der grausamen Härte des Grabenkampfs und des Trommelfeuers ausgesetzt war. *Dies war die schwerste Zeit meines Lebens*, schrieb er später, *ich brauchte meine ganze Kraft und Zähigkeit, um zu widerstehen.*[39]

In diesen Monaten wurde ihm seine anfängliche Kriegsbegeisterung gründlich ausgetrieben. Vor Verdun sah er ein, daß es in diesem Krieg nicht um irgendwelche höheren Kulturwerte, sondern um rein materielle Ziele ging – und daß die sogenannten einfachen Menschen, nämlich die Proletarier unter den Schippern, oft viel bessere Einsichten in die Machenschaften der Oberen hatten als die sogenannten Intellektuellen. Hier gab es keine Kultur, sondern nur Unkultur, und zwar in der brutalsten Form der unbarmherzigen Unterdrückung jeder menschlichen Regung von seiten der herrisch auftretenden Offiziere und der zum Teil noch herrischer auftretenden Korporale. Das einzig Erfreuliche in diesen Monaten, in denen Zweig nur wenig niederschrieb, ja manchmal zu müde zum Nachdenken war, bestand darin, daß sich Beatrices Eltern – unter dem Druck der äußeren Ereignisse – nicht länger gegen eine eheliche Verbindung ihrer Tochter mit dem armen «Vaterlandsverteidiger» sträubten. Daher durfte Zweig Anfang Juli 1916 vier Tage nach Berlin fahren, wo er zum Schrecken seiner «foinen» Schwiegereltern selbst bei der Trauzeremonie nicht auf seine schäbige Armiereruniform verzichtete und sogar seine Mütze, das *schildlose Krätzchen*, aufbehielt.[40]

Eine Wendung in seinem Schipperleben trat erst im Juni 1917 ein, als Zweig durch die Hilfe einiger Freunde, unter ihnen Stefan Großmann, der spätere Herausgeber des «Tage-Buch»[41], nach Ober-Ost, das heißt in das Etappengebiet östlich der Weichsel, gerettet wurde und eine Stelle *in der Presse-Abteilung des obersten Stabes* bekam.[42] Bis zum Oktober 1917 befand sich das Hauptquartier der deutschen Stabsführung in Bialystok, anschließend wurde es nach Kowno verlegt. Zweig arbeitete dort mit mehreren Schriftstellern, Journalisten, Graphikern und Malern als Redaktionsmitglied einer Presseabteilung, die unter anderem die deutschsprachige Kownoer und Wilnaer Zeitung herausgab. In Ober-Ost erhielt Zweig, der den Krieg bisher vornehmlich *von ganz unten* gesehen und durchgestanden hatte[43], erstmals Einblicke in die imperialistischen Machenschaften der obersten Heeresführung und kam zugleich in ein intellektuelles Milieu, das ihn erneut zum eigenen Schreiben anregte. Obendrein hatte er hier endlich Gelegenheit, kriegskritische Romane wie «Das Feuer» von Henri Barbusse und «Der Mensch ist gut» von Leonhard Frank zu lesen, die ihn ebenso beeindruckten wie die Hefte der pazifistisch eingestellten «Weißen Blätter». Um nicht hinter solchen Autoren zurückzustehen, begann Zweig in diesem Zeitraum, wohl auch durch den Kleist-Preis beflügelt, zwei Antikriegsdramen zu konzipieren. Das erste war die Komödie *Die Lucilla*, deren Urfassung er Anfang 1918 in Kowno abschloß. In ihr behandelte er die Besatzungs- und Unterdrückungspolitik der deutschen Armee in Litauen, verlegte aber die Handlung vorsichtshalber in das von den Römern besetzte Spanien des Jahres 55 vor unserer Zeitrechnung.

Wichtiger als *Die Lucilla* war ihm jedoch von Anfang an das Drama *Der Bjuschew*, in dem er am Beispiel eines offenkundigen Gerichtsmords, des «Grischa»-Falls, die Inhumanität der deutschen Heeresführung im Osten anprangern wollte. Zweig schrieb darüber später: *Das Spiel vom Sergeanten Grischa entstand als Eingebung im Herbst 1917. Damals hatte ich nach zweijähriger Arbeitszeit in einem Armierungsbataillon den Glauben an Deutschlands gute Sache in diesem Krieg verloren, beson-*

ders seit der Bekanntschaft mit dem Leben in der Etappe. Aber eine von früher Jugend her genährte Überzeugung hatte bisher standgehalten, daß für die Rechtspflege im deutschen Heere die Begriffe Gerechtigkeit und Humanität maßgebend zu sein hatten, wie sie es, meiner damaligen Meinung nach, auch im Leben jenseits des Militärs in Staat und Gesellschaft waren. Viele «kleine» Vorkommnisse hatten an dieser Überzeugung genagt, ohne sie jedoch erschüttern zu können. Dies geschah erst, als mir ein Unteroffizier unserer Justizabteilung Ober-Ost den Fall eines entwichenen und wieder aufgegriffenen russischen Kriegsgefangenen berichtete, der erschossen wurde, obwohl der kommandierende General eines Armeekorps sich dafür einsetzte, daß Recht und Gerechtigkeit im deutschen Heer keinerlei politischen Erwägungen untergeordnet würden.[44]

Mit diesem Stück begab sich Zweig erstmals auf ein Terrain, das ihn sein ganzes Leben nicht wieder loslassen sollte: nämlich das der möglichst konkreten Darstellung des Ersten Weltkriegs. Während er noch zwei Jahre vorher zutiefst an die «Kulturmission» der Deutschen in diesem Krieg geglaubt hatte, das heißt ins Feld gezogen war, um für die Weltgeltung eines *Hölderlin*, *Goethe*, *Kleist*, *E. Th. A. Hoffmann*, *Stifter* oder auch *Bach*, *Händel*, *Gluck*, *Mozart*, *Beethoven*, *Brahms*, *Bruckner* und *Mahler* zu streiten[45], fallen in diesem Drama plötzlich alle Masken und Verbrämungen fort. In ihm zeigt Zweig das wahre Gesicht des Kriegs: sein materielles, mörderisches, eroberungslüsternes.

Dieser Gesinnungsumschwung läßt sich auf mindestens drei Ursachen zurückführen. Erstens die allgemeine Kriegsmüdigkeit, die sich seit Sommer 1917 auch bei anderen ehemals Kriegsbegeisterten beobachten läßt, die in den blutigen, unverrückbaren Grabenkämpfen ihren früheren Idealismus verloren. Zweitens seine als Erziehung empfundene Zeit vor Verdun, wo Zweig erstmals die zähe Renitenz, den bauernschlauen Selbsterhaltungstrieb und die politische Klugheit des gemeinen Mannes kennen- und schätzen lernte. Drittens die revolutionären Umwälzungen, die in Rußland zwischen März und Oktober 1917 stattfanden und die am 2. Dezember 1917 in Brest-Litowsk zu einem Waffenstillstand zwischen den Mittelmächten (Deutschland und Österreich) und der Sowjetregierung führten. Auf Grund dieser Ereignisse setzte Zweig seine Friedenshoffnungen immer stärker auf den Lebenswillen der unteren Bevölkerungsschichten. So erklärte er bereits am 20. Juli 1917 in einem Brief an Willi Handl: *Wenn er* (der vierte Stand) *nicht in allen Ländern klug wird und zur Aktion schreitet, ertrinken wir in dem Blute, in das wir aus Müdigkeit gefallen sind.*[46] Vor allem die Bemühungen der Bolschewiki, eine nicht-imperialistische Gesellschaft aufzubauen, gaben ihm in diesem Punkt neuen Auftrieb. Dem entspricht, daß Zweig am 25. Dezember 1917, nach der gelungenen Oktoberrevolution, an Agnes Hesse schrieb: *Die Welt ist heller geworden ... Der große radikale, aus der Verzweiflung geborene Mut der russischen Proletarier hat eine starke Kerze entzündet,*

Hermann Struck: Lithographie aus dem Sammelband «Ostjuden» (1918)

und wir hoffen, daß dieses Licht auch bald nach Westen hinüberleuchten wird.[47]

Doch es waren nicht allein die Erziehung vor Verdun und das Auftreten der Bolschewiki, die Zweig zur Abwendung von der geheuchelten wilhelminischen Kulturmission bewogen und ihn zum überzeugten Pazifisten werden ließen. Auch sein in dieser Kritik am «Vaterländischen» erneut durchbrechendes Judentum bestärkte ihn in dieser Richtung. Einer der auslösenden Faktoren dafür war die von Zweig als höchst diffamierend empfundene Judenzählung innerhalb der Armee, welche das Preußische Kriegsministerium im Jahre 1916 anordnete.[48] Ihren literarischen Niederschlag fand diese Maßnahme in seiner alptraumartigen Geschichte *Judenzählung vor Verdun*, die im November 1916 in der «Jüdischen Rundschau» erschien. In ihr stößt der Cherub Azreal nachts in sein Schofarhorn und ruft zur Zählung sämtlicher *toten Juden im deutschen Heer* auf. Und die Toten, die lieber still in ihren Gräbern geruht hätten, melden sich auch alle – vom Flecktyphus zerfressen, in Lumpen gekleidet, zu Krüppeln zusammengeschossen – und sinken dann wieder *seelenlos* auf den Grund ihrer Gräber hinab. Daraufhin trifft der zutiefst verwirrte Erzähler den alten Akiba, der ihm unverblümt ins Gesicht sagt, daß der *Messias* auch auf ihn warte. *Und ich erwachte*, heißt es im letzten Satz, *vor jähem, grellem, herzerneuerndem Schreck*.[49]

Als Zweig 1917 nach Ober-Ost versetzt wurde und in Bialystok, Kowno und Wilna erstmals mit der Welt des Ostjudentums in Berührung kam, die er als Kind und junger Mann in Oberschlesien nur am Rande kennengelernt hatte, war er also auf diese Begegnung durchaus vorbereitet. Nach den positiven Erfahrungen mit deutschen Arbeitern vor Verdun und der Selbstkritik an seiner eigenen Hybris waren ihm die sogenannten Ostjuden, denen viele der gebildeten Westjuden sorgsam aus dem Weg gingen, keine «peinliche Scham» mehr, sondern bereits Brüder im Leid, denen er mit tiefstem Respekt entgegentrat. Bestärkt wurde Zweig darin durch den Berliner Graphiker Hermann Struck, der in der gleichen Presseabteilung arbeitete und als Zionist seine Graphiken bereits seit 1900 mit dem Davidsstern zeichnete. Als Struck 1918 eine Mappe mit 50 Lithographien unter dem Titel «Ostjuden» herausbrachte, schrieb Zweig sofort eine höchst lobende Rezension darüber, in der er diese Bilderfolge als ein bedeutendes Dokument jener *Politisierung der Kunst* hinstellte, die *von den linken Flügeln aller Völker* ausgehe und endlich auch dem jüdischen Volk die nötige Gerechtigkeit widerfahren lasse.[50]

Im Zuge dieses Gesinnungsumschwungs faßte Zweig in diesem Zeitraum neben den deutschen Juden, von denen etwa 100000 im wilhelminischen Heer dienten, erstmals auch jene Juden als Teil des israelitischen Volks ins Auge, die ihm in Litauen und im damaligen Kongreßpolen nicht nur durch den Gebrauch der deutschen oder jiddischen Sprache, sondern auch durch ihre zionistisch-sozialistischen Ideen immer sympathischer wurden. Ideologisch und literarisch war er hierauf vor allem durch Schriften wie «Die Legende des Baalschem» (1908) und «Drei Reden über das Judentum» (1911) von Martin Buber eingestimmt worden, der bereits vor dem Ersten Weltkrieg – in offener Frontstellung gegen den weitverbreiteten jüdischen Selbsthaß – für eine «Selbstbejahung» des Judentums eingetreten war, damit aus dem inneren «Zion» eines Tages endlich das konkrete «Zionsland» werden könne.[51] Zweig hatte daraufhin schon 1912 einen Briefwechsel mit Buber begonnen, in dem er allerdings stets scharf zwischen den Taten und den Phrasen des Zionismus unterschied.[52] Doch zum existentiellen Problem wurde ihm all das erst nach seinem Abrücken von der bisherigen Kriegsbegeisterung, dem Erscheinen von Bubers Buch «Die jüdische Bewegung» (1916) und der im gleichen Jahr ebenfalls

Martin Buber (1916)

von Buber gegründeten Zeitschrift «Der Jude», an der sich Zweig sofort mit eigenen Aufsätzen beteiligte.[53] Fern aller jüdischen Orthodoxie und sich lediglich zu einer *atheistischen Religiosität* bekennend[54], trat Zweig zu diesem Zeitpunkt immer stärker für eine gesamtjüdische Solidarität ein und litt tief darunter, daß an allen Fronten *Juden gegen Juden kämpfen* müßten.[55] Das kommt vor allem in seinen Briefen an Buber zum Ausdruck, in denen er wiederholt auf den abgründigen *Antisemitismus* im deutschen Heer hinweist und sich selbst voller Abscheu vor solchen Phänomenen als staatenlosen *Ausländer* bezeichnet.[56]

Es nimmt daher nicht wunder, daß sich Zweig in den Jahren 1916 und 1917 in vielen seiner Briefe und Aufsätze immer offener zu einem volkhaften und doch kulturbetonten Zionismus bekannte und die in Bubers Zeitschrift «Der Jude» abgedruckten Beiträge als *die geistige Nahrung der Besten* unter den jungen Juden bezeichnete.[57] Manchmal wurde er sogar noch deutlicher und erwog in aller Offenheit, nach dem Krieg ins künftige «Zionsland» auszuwandern. So schrieb er bereits am 26. April 1916 an Martin Buber: *Wir* (d. h. Beatrice und er) *werden noch etwa zwei Jahre in*

Deutschland sein (nach dem Krieg) und dann ins Morgenland pilgern.[58] Und Buber schloß sich diesen Plänen an, wodurch die innere Verbundenheit der beiden Männer immer größer wurde. Allerdings wollten Zweig und Buber nicht auf die europäische Kultur verzichten, sondern diese mit *ins Morgenland* hinüberretten. Daß sie mit solchen Zielsetzungen auf Widerstand stoßen würden, war ihnen klar. *Wir werden sehr auf der Hut sein müssen*, schrieb Zweig Ende 1917 an Buber, *alle seine Masken* (d. h. die Masken des Zionismus) *aufzudecken, auch die kulturfeindliche der Orthodoxie, die als unjüdisch bekämpfen wird, was wir von großen europäischen Kulturwerten mit hinübernehmen wollen.*[59] Selbst Beatrice, die sich seit ihrem fünfzehnten Lebensjahr als *Zionistin* empfinde und *eine begeisterte Freude für ihren Stamm* an den Tag lege, wie Zweig im gleichen Brief erklärte, hegte in diesem Punkt deutliche Zweifel. Dementsprechend schrieb sie im Frühjahr 1917 an Helene Weyl: «Wir wollen nach dem Krieg den Versuch machen, ob man sich ganz für Palästina entscheiden, ob man dort leben kann. Ich glaube eher nein als ja, denn es ist ein junges Land, ohne Kultur.»[60]

Doch trotz aller Skrupel, nicht ohne die geliebte Kultur leben zu können, kam Zweig – schon aus Abscheu gegen die kriegsbegeisterten und annexionssüchtigen Deutschen – ständig auf solche Auswanderungspläne zurück. Daß diese Absichten bei ihm immer konkreter wurden, hängt sicher auch damit zusammen, daß der englische Außenminister Lord Arthur Balfour im November 1917 – auf Initiative führender Zionisten wie Chaim Weizmann – eine öffentliche Erklärung abgab, den Juden in Palästina, welches die Engländer kurz zuvor im Kampf gegen die mit Deutschland verbündeten Türken erobert hatten, endlich eine nationale Heimstatt einzuräumen. Allerdings sah Zweig schon zu diesem Zeitpunkt nur allzu klar voraus, daß im neuen «Zionsland» weniger das Pastoral-Idyllische als das Industriell-Kapitalistische im Vordergrund stehen werde. Dennoch vertraute er weiter darauf, daß man im künftigen Staat Israel – vor allem durch *die Hingabe, Idealität und Reinheit seiner Beamten* – sicher die meisten Übel des bisherigen Konkurrenz- und Profitstrebens vermeiden könne.[61] Sobald er jedoch von den tatsächlichen Verhältnissen in Palästina hörte, wurde er wieder *ratlos*. *Die Dinge gehen dort rapide vorwärts*, schrieb er am 1. Februar 1918 mit deutlich melancholischem Unterton an Buber, *aber sie gehen nicht in unsere Richtung.*[62] Um nicht ganz defätistisch zu werden, setzte Zweig schließlich seine letzte Hoffnung im Hinblick auf das erhoffte «Zionsland» auf vier Dinge: *Die Kinder, das Land, unser reines Streben und den geheimen Geist des Judentums.*[63]

Als der Krieg im November 1918 endgültig eingestellt wurde, nachdem man an der Ostfront schon Monate zuvor die Waffen niedergelegt hatte, erwiesen sich jedoch diese zionistischen Utopievorstellungen als viel zu schwach, um für Zweigs Handeln eine sinnvolle Richtschnur abgeben zu können. Und auch die durch die russische Oktoberrevolution geweck-

Frans Masereel: Illustration zu Leonhard Franks Antikriegsnovelle «Die Mutter» (1919)

ten Hoffnungen waren nicht stark genug, ihn zu einem revolutionären Handeln hinzureißen. Dafür spricht, daß sich Zweig zwar in den «Soldatenrat nach Wilna delegieren» ließ und dort darauf drang, «die durch die Militärjustiz verübten Unrechtsfälle überprüfen zu lassen», daß er jedoch, als seine Eingaben «auf Unverständnis und Ablehnung» stießen, die Flinte nur allzu schnell ins Korn warf.[64] Statt sich wirklich zu engagieren, zog er *den Waffenrock* kurzerhand *aus* und fuhr Anfang Dezember nach Berlin zurück, um wieder mit seiner langentbehrten Beatrice vereint zu sein.[65]

Der Aufstieg zum weltberühmten Autor (1919–33)

An der Entscheidung, sich nicht weiter in die deutsche Novemberrevolution einzumischen, hielt Zweig auch nach seiner Rückkehr in Berlin fest. Durch den erbitterten Bruderkampf der beiden Arbeiterparteien, der zwischen Januar und Mai 1919 zum Spartakusaufstand, zur Ermordung Rosa Luxemburgs und Karl Liebknechts sowie zur Niederschlagung der Bayerischen Räterepublik führte, fühlte er sich in seinem einmal gefaßten Entschluß sogar noch bestärkt. Was sich damals in Deutschland abspielte, hatte in seinen Augen weder den großen Atem der russischen Oktoberrevolution noch eine wahrhaft proletarische Basis, sondern wirkte auf ihn ebenso erbärmlich wie das Verhalten vieler Sozialdemokraten während des Kriegs. Statt sich angesichts *des werwölfischen Kapitals*, schrieb Zweig in der «Weltbühne», einmal ganz *dem wilden Trieb* hinzugeben, *sich auf jeden und alles zu stürzen, was widersteht*, einmal *ganze Arbeit zu machen* und sich rückhaltlos für *die Idee einer gerechten Menschengemeinschaft* einzusetzen, herrsche im Rahmen dieser *allergetreuesten Opposition* weiterhin ein schmutziges *Ressentiment*, ein kleinliches Rechthabenwollen oder gar eine *schäbig-bürgerliche Sehnsucht nach Ruhe*.[66] Und die wenigen, welche diese Situation eventuell gemeistert hätten, nämlich Luxemburg und Liebknecht, seien obendrein noch hingemordet worden, wie es in seiner erbitterten *Grabrede auf Spartacus* heißt.[67] Kein Wunder also, daß als Ergebnis dieser Entwicklung eine Rückkehr zur dürftigsten Form der Normalität eingetreten sei. Wirklich geändert habe sich, erklärte Zweig, lediglich das politische Bewußtsein einiger Intellektueller, die – wie er selber – vor 1914 dem selbstherrlichen Egoismus Nietzsches gehuldigt hätten und die erst jetzt begriffen, daß der höchste Rang der Menschen *im sozialen Gewissen* bestehe.[68] Doch ein Gesinnungswandel, der auf eine so kleine Bevölkerungsschicht begrenzt bleibe, erschien ihm nicht tiefgreifend genug, um einer wirklichen Revolution zum Durchbruch zu verhelfen.

Daher verließ Zweig im Frühjahr 1919 Berlin und ging mit Beatrice nach Tübingen, um sein abgebrochenes Studium fortzusetzen. Weil ihn jedoch die dortigen Professoren nicht besonders interessierten, siedelten beide im September nach München über, wohnten erst eine Weile im Hotel «Baseler Hof» und bezogen dann im November – in Anbetracht der

Zweig mit Beatrice und Miriam (Sommer 1920)

geringen Einkünfte, die sich Zweig mit seinen journalistischen Arbeiten verdiente – in der Starnberger Hinteren Mühlbergstraße eine so winzige Wohnung, daß er seinen Arbeitstisch in einem Plättkeller aufstellen mußte.[69] In diesem Domizil, das relativ ungestört und doch nah an einer großen Stadt lag, hoffte Zweig, fortan als freier Schriftsteller leben und sich ganz in den Dienst der jüdischen Sache stellen zu können. Auf Grund dieser Entscheidung bedauerte er in diesem Jahr immer wieder, wie wir aus Briefen an Martin Buber erfahren, daß sich Juden wie Gustav Landauer in *die deutsche Politik* eingemischt und damit eine *Gegenrevolution* befördert hätten, zu deren Begleiterscheinungen ein aggressiver *Antisemitismus* gehöre.[70] Wenn sich Zweig in dieser Zeit überhaupt zu einem revolutionären Sozialismus bekannte, tat er das fast immer in Solidarität mit jenen ostjüdischen Organisationen, die er in Bialystok, Kowno und Wilna kennengelernt hatte. Allerdings lehnte er dabei für seine Person

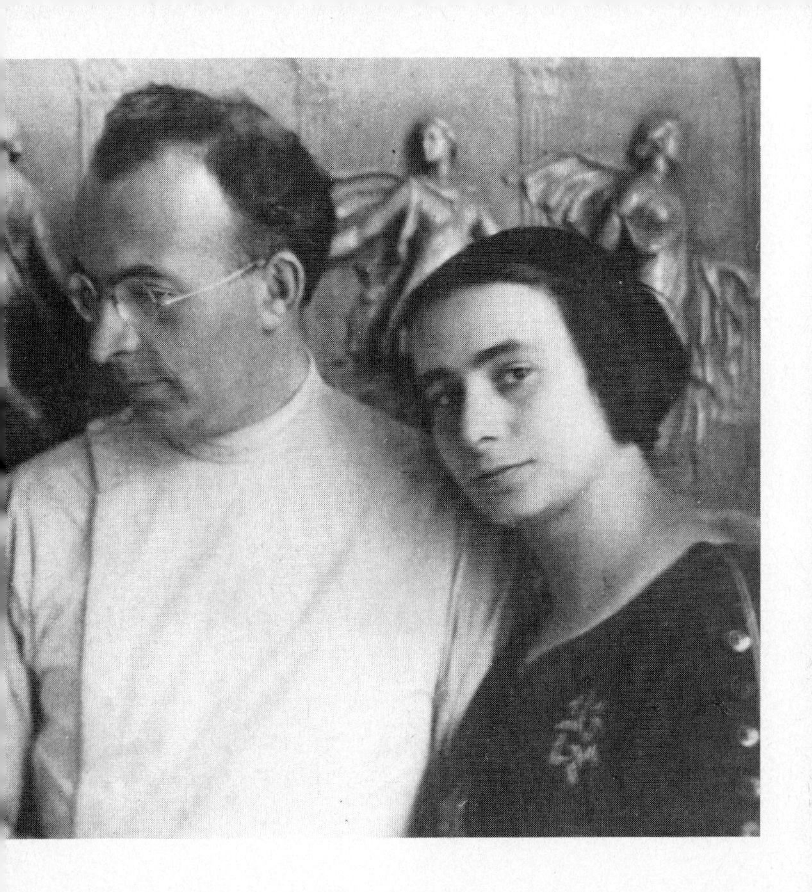

jede rein nationalistische Form des Zionismus ab und betonte ausdrücklich, daß aus dem Zionismus nur dann eine gerechte Sache werden könne, wenn man den Akzent auf die sozialistischen Grundvoraussetzungen lege, statt sich von irgendwelchen mystischen Erwähltheitsvorstellungen blenden zu lassen.[71]

Seine *Auswanderungspläne*, auf die er noch einmal im Januar 1919 in einem Brief an Helene Weyl zu sprechen kommt[72], scheint Zweig jedoch in den folgenden Monaten erst einmal verschoben und schließlich aufgegeben zu haben. Jedenfalls richteten sich Beatrice und er im Winter 1919/20 in Starnberg auf einen längeren Aufenthalt ein, das heißt wollten endlich das langersehnte Familienleben genießen. Das erste Kind kam im Sommer 1920 zur Welt und erhielt die Vornamen *Michael* (*sprich Mikháel*) *Haran Wolfgang*[73]. Während *Michael Haran* das jüdische Element der beiden Eltern unterstreicht, sollte *Wolfgang* auf zwei der höchsten Ge-

Titelblatt (1920)

nien der deutschen Kultur, auf Goethe und Mozart, verweisen, denen sich Vater und Mutter ebenso verbunden fühlten. Obwohl das Glück beider Eltern über diesen Sohn groß war, wurde Zweig in diesem Zeitraum ständig von tiefen Depressionen heimgesucht, litt an literarischen Produktionshemmungen und war auch sonst relativ entschlußunfähig. Sowohl das Weltkriegserlebnis als auch die ungelöste Identitätsfrage belasteten ihn schwer. Um sich in dieser Situation, in der ihm eine Auswanderung nach Palästina noch zu früh erschien, nicht ganz unnütz vorzukommen, bemühte er sich in seinen Schriften stärker denn je zuvor um eine Synthese aus Kulturhumanismus, Sozialismus und Zionismus, wobei allerdings die jüdische Komponente für eine Zeitlang durchaus im Vordergrund stand. Dafür sprechen sämtliche Aufsätze, die Zweig in diesen Jahren in Blättern wie «Der Jude», «Die jüdische Rundschau», «Freie zionistische Blätter» und «Der neue Orient» publizierte und in denen er vor allem Themen wie das Ostjudentum, die Palästinafrage sowie den damals grassierenden Antisemitismus behandelte.

Das erste größere Werk, welches Zweig in diesem Zeitraum schrieb, war das Buch *Das ostjüdische Antlitz*, das er im Sommer 1919 abschloß und das 1920 im Berliner Welt-Verlag erschien. Diesem Buch liegen jene 50 Lithographien seines Freundes Hermann Struck zugrunde, die dieser bereits 1918 als Graphikmappe unter dem Titel «Ostjuden» herausgebracht hatte. Struck, der sich als junger Künstler an den Werken Rembrandts, Joseph Israels und Max Liebermanns geschult hatte, gehörte schon um die Jahrhundertwende zu den bekannteren Graphikern Berlins. Nach seiner Wendung zum Zionismus war er 1903 erstmals in Palästina gewesen und hatte dann in Ober-Ost, wo er Zweig kennenlernte, seinen «realistischen» Stil in der Darstellung armer Juden weiter vervollkommnet. Diese Bilder nahm Zweig zum Anlaß, um sich auf teils reflektierende, teils nostalgisch-hymnische Art über Fragen des Ostjudentums aussprechen zu können.

Arnold Zweig begann seine *Vorrede* mit einem erbitterten Angriff auf jenes fanatische Nationalgefühl, das gegenwärtig in Staaten wie Polen den Ton angebe und zu einer Welle von *Pogromen* geführt habe, denen über 100000 Juden zum Opfer gefallen seien, die man nicht nur als *Sozialisten*, sondern auch als Fremdlinge einfach *ermorde, hinrichte* oder *in Zuchthäusern verkommen lasse*.[74] In den folgenden Abschnitten ging Zweig in schmerzlich-romantisierender Weise auf die Strucksche Darstellung all jener erniedrigten, doch vom Glauben durchglühten alten Männer, hartarbeitenden Handwerker, besorgten Mütter sowie die vielen Kinder ein, in welchen diese schwer Geplagten ihre einzige Hoffnung sähen. Im Sinne neujüdischer Autoren wie Scholem Alechem oder Isaak Leib Perez stellte Zweig dabei vor allem das *Reine, Gläubige* und *Arbeitsame* dieser Menschen heraus, die noch nicht nach Besitz und Bildung gierten, sondern in einer *vorkapitalistischen* Gemeinschaft lebten, deren oberste Werte Solidarität und menschliche Wärme seien.[75] Nur hier gebe es unter den Juden noch *Volkheit*, nur hier habe man *sich eigene Lieder und Tänze, Sitten und Mythen, Sprachen und Gemeinschaftsformen geschaffen*, nur hier sei man noch nicht dem *Mischmasch des Westens* und damit einer allgemeinen *Entjudung* verfallen.[76] Dies seien Menschen, lesen wir immer wieder, die zwar keinen Sinn für Schönheit, Erotik und höhere Kultur, jedoch einen für autochthone Lebensweise besäßen. Es sei daher abwegig, ihre moralische *Zucht*, ja ihre *Puritanisierung des Sinnlichen* als *Verdrängung* entlarven zu wollen.[77] Im Gegenteil, bei diesen Menschen herrsche noch Gewißheit, noch Zuversicht. Im Unterschied zu den Westjuden sei das erträumte «Zionsland» für sie gar keine Utopie, sondern einfach das Land, das eines Tages *ihr Land* sein werde.[78]

Seine größte Hoffnung setzte Zweig in diesem Zusammenhang auf den *Sozialismus* der *ostjüdischen Jugendbewegung*. Allerdings müsse dieser sein Ziel in Palästina finden, da er sich sonst rein zentrifugal auswirken könne.[79] Als die wichtigsten Vorbilder einer solchen Gesinnung stellte Zweig vor allem Siedlungszionisten wie Franz Oppenheimer und Kulturzionisten wie Martin Buber hin. Nur wenn man sich ihren Ideen anschließe, werde sich unter den auswandernden Juden ein *kolonisierender palästinensischer Sozialismus* herausbilden, der sich Leitideen wie Jugend, Arbeit und Lauterkeit des Strebens verpflichtet fühle.[80] Konkret und zugleich utopisch gesprochen, dachte Zweig dabei *an kleine Siedlungen, ohne Staat, aus gemeinschaftlichem, antipolitischem Geiste heraus, unter Gemeinbesitz an Grund und Boden und den entscheidenden Produktionsmitteln, um so im jüdischen Lande unserer Arbeit und Erfüllung, im sozialistischen Geiste leben zu können*[81].

Mit solchen Ideen stand Zweig unter den deutschen Juden damals relativ vereinzelt da. Die Mehrheit dieser Menschen, die sich im «Central-Verein deutscher Staatsbürger jüdischen Glaubens» sowie dem «Jüdischen Frontkämpferbund» organisiert hatte und sich zu einer uneingeschränkten Vaterlandsliebe bekannte, verhielt sich dem Zionismus – als einer spezifisch ostjüdischen Angelegenheit – ablehnend gegenüber. Daher wanderten von den deutschen Juden zwischen 1919 und 1933 nur 2000 nach Palästina aus, von denen obendrein über die Hälfte wieder zurückkehrte.[82] Demzufolge konnten die Central-Verein-Anhänger weder Zweigs sozialistisch-spiritualisiertem Bild des Ostjuden[83] noch seiner ebenso sozialistisch-spiritualisierten Vorstellung eines kommenden Israel, als eines «neuen Sozialgebildes von utopischen Dimensionen»[84] viel abgewinnen. Was diese Schicht dagegen für Zweig einnahm, war sein offener Kampf gegen den deutschen Antisemitismus, mit dem sich auch sie ständig konfrontiert sahen. Großes Aufsehen erregte in dieser Hinsicht schon Zweigs Aufsatz *Die antisemitische Welle*, der 1919 in drei Folgen in der «Weltbühne» erschien.[85] In ihm behauptete Zweig, daß es unter *den deutschen Proletariern* wie auch unter *den deutschen Linksparteien* keinen wirklichen Antisemitismus gebe, sondern dieser weitgehend ein mittelständisches Phänomen sei.[86] Vor allem die Kleinbürger, die in den Juden eine dreckige *Schleuderkonkurrenz* sähen, griffen begierig zu den von *Richard Wagner*, *Houston Stewart Chamberlain*, *Theodor Fritsch und Adolf Bartels* aufgestellten Diffamierungsbildern einer goldenen und roten jüdischen Internationale, die sich dem Gedanken der *Weltherrschaft* verschworen habe, ja versuchten, den Juden sogar die Schuld an dem verlorenen Krieg in die Schuhe zu schieben.[87] All dem setzte Zweig am Schluß die idealistisch postulierte Hoffnung auf eine fortschreitende *Symbiose* der jüdischen und nichtjüdischen Deutschen entgegen, um so zu einer weiteren Entgiftung der Atmosphäre beizutragen.[88]

Noch grundsätzlicher ging Zweig auf diese Fragen in seiner langen Aufsatzreihe *Der heutige Antisemitismus* ein, die 1920/21 in der Zeitschrift «Der Jude» herauskam.[89] In ihr beschäftigte er sich – unter Anlehnung an

George Grosz: «Der weiße General» (1923)

Sigmund Freud – vor allem mit den massenpsychologischen Aspekten dieses Phänomens, indem er den Antisemitismus mit einem höchst eindrucksvollen Aufgebot kulturgeschichtlicher Details aus einem atavistischen *Gruppenhaß*, das heißt einem Zusammenspiel verschiedener *Zentralitäts-, Abstoßungs- und Differenzaffekte* abzuleiten versuchte.[90] Während Zweig seinen «Weltbühne»-Aufsatz – im Hinblick auf die Leserschaft dieser Zeitschrift – mit der Hoffnung auf eine zukünftige *Symbiose* beschlossen hatte, bot er diesmal, wo er sich eher an Zionisten

Berlin in den zwanziger Jahren

wandte, seinen Lesern folgende Zukunftsperspektiven an: entweder sich innerhalb Deutschlands auf ihr ureigenstes *jüdisches Sein* zu besinnen oder nach Palästina *auszuwandern* und sich dort *mit den Arabern auf autonomer Ebene* über ein friedliches Zusammenleben zu *einigen*.[91]

Mit solchen Schriften exponierte sich Zweig so stark als Zionist, daß er sich im Jahre 1923 – im Zuge der antisemitischen Ausschreitungen der von Adolf Hitler angeführten NSDAP, die ihren Hauptsitz in München hatte – in Starnberg immer unsicherer fühlte, ja sogar offene Drohbriefe erhielt[92] und schließlich am 24. September mit seiner Familie nach Berlin übersiedelte. Hier trat er kurze Zeit später in die Redaktion der zionistisch orientierten «Jüdischen Rundschau» ein, um endlich unter Gesinnungsfreunden zu sein und sich auch finanziell über Wasser halten zu können. Und zwar betreute er nicht nur das Feuilleton dieser Zeitschrift, sondern wandte sich auch auf vielen Vortragsreisen gegen den wachsenden Antisemitismus und forderte *die verfolgten jüdischen Bürger auf, sich auf Palästina zu orientieren*[93]. Im Gegensatz zu früher machte er jedoch für den verbreiteten Judenhaß jetzt nicht allein irgendwelche Gruppenaffekte, sondern zugleich die von den Rechtsparteien unterstützten *Zerstörer der Republik* verantwortlich, welche *die großen Städte aushungerten, das Volksvermögen aussaugten und aus der Inflation Gewinne* zögen.[94]

Im Juli und August 1925 schrieb Zweig als weitere zionistische Schrift das Buch *Das neue Kanaan*, das noch im gleichen Jahr mit fünfzehn Lithographien von Hermann Struck bei Horodisch & Marx in Berlin erschien. In ihm vertrat er die These, daß die Juden von Natur aus *Mittelmeermenschen* seien, die sich unter der strahlenden Sonne Palästinas sicher wieder in *Orientalen* zurückverwandeln würden.[95] Während sie im Norden geistig und seelisch verkümmerten, biete ihnen dieses Land endlich die Chance, wieder ihre *Freiheit*, ihren *Leib*, ihre *Sinnlichkeit*, ihr *Glück*, kurz: sich selbst zu entdecken.[96] Zweig wandte sich daher scharf gegen eine Überbetonung der religiösen *Orthodoxie*, die einer solchen *Remediterranisierung* zwangsläufig im Wege stehe.[97] Nicht *der greise Jude mit dem Turban* und *dem Patriarchenbarte*, schrieb er emphatisch, sondern *der junge Sozialist* mit dem Willen zu wirklicher Demokratie, Freiheit und neugeweckter Sinnlichkeit müsse *der Erbauer und Bestimmer des neuen Kanaan* sein.[98] Allerdings werde sich dies nur erreichen lassen, fügte er einschränkend hinzu, wenn man die Araber nicht länger im Sinne eines unbarmherzigen *Legionärsmilitarismus* als *Farbige* behandle, sondern sich aufrichtig um ihre *Freundschaft* bemühe. *Das nationale Heim der Juden*, beschloß er diesen Gedankengang, *wird nur unter dem Beifall der Araber Palästinas gebaut werden können*.[99]

Aber trotz dieses nachdrücklichen Engagements für den Zionismus, dem Zweig eine utopisch-sozialistische Richtung zu geben versuchte, dauerte seine eigene Identitätskrise unvermindert an. Die Aktivität für die jüdische Sache bot ihm zwar einen Ausweg, aber keine wirkliche Lösung. Schließlich stand ihm die Sprache, Kultur und Mentalität der Deutschen doch wesentlich näher als die der jiddisch oder hebräisch sprechenden Juden Palästinas. Demzufolge verkehrte Zweig in Berlin nicht nur mit Zionisten, sondern ließ sich auch vom allgemeinen Kulturleben dieser Stadt gefangennehmen, besuchte die Theater und Ausstellungen, schrieb regelmäßig für die «Weltbühne», traf sich mit Freunden wie Lion Feuchtwanger und Bertolt Brecht, die er schon von München her kannte und die gleichfalls nach Berlin übergesiedelt waren, ja kaufte sich schließlich im Zikadenweg 59, in Berlin-Eichkamp, ein bescheidenes Haus, um seiner Familie, die durch den 1924 geborenen Sohn Adam auf vier Personen angewachsen war, eine wirkliche Heimstatt bieten zu können.

In all dem deutet sich eine allmähliche Beruhigung an. Was jedoch Zweig lange Zeit fehlte, war ein literarischer Schaffensimpuls. Nicht nur die vielen Gelegenheitsarbeiten und Vortragsreisen im Dienste der zionistischen Bewegung hielten ihn vom Schriftstellern ab, sondern auch seine psychischen Krisen, zu deren Überwindung er bereits im Herbst 1923 eine psychoanalytische Behandlung erwog. Als ebenso behindernd empfand er seine mangelnde Sehkraft, die in diesen Jahren durch geplatzte Äderchen in der Netzhaut und eine Augentuberkulose immer schwächer wurde, so daß er Geschriebenes oder Gedrucktes nicht mehr so schnell überfliegen konnte wie bisher. Seit Juni 1926 war er daher zur Niederschrift seiner eigenen Arbeiten auf die Hilfe einer Sekretärin angewiesen. Und doch gab Zweig auch in diesen Jahren nie seinen alten Traum auf, sich vor allem als Schriftsteller betätigen zu wollen. In diesem Sinn hatte er bereits Anfang 1919, kurz nach seiner Rückkehr aus dem Krieg, an Helene Weyl geschrieben: *Ich will dichten! Romane und Tragödien sollen entstehen! Alles, was ich bis jetzt gemacht habe, ist eine Vorhalle gewesen.*[100] Allerdings führte Zweig zwischen 1920 und 1925 keinen dieser

Helene Weyl, geb. Joseph (um 1923/24)

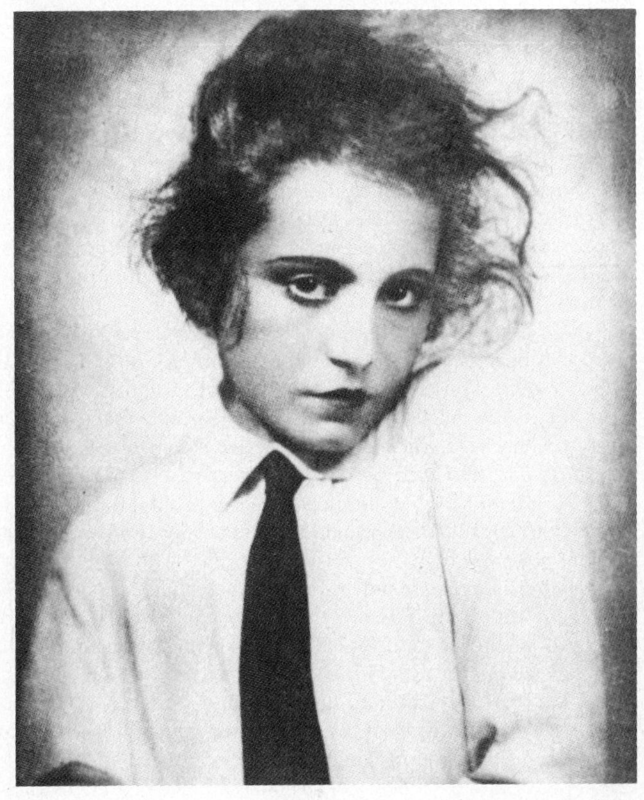

Elisabeth Bergner als Fräulein Julie (1924)

Vorsätze aus. Immer wieder setzte er zu neuen dichterischen Werken an, wich aber dann ins Feuilleton aus oder stellte lediglich Älteres zu neuen Werkanthologien zusammen.

Was ihn anfangs am meisten interessierte war das Feld des Dramas, auf dem ihm der 1915 für das Stück *Ritualmord in Ungarn* verliehene Kleist-Preis einen gewaltigen Auftrieb gegeben hatte. Dieses Stück war unter dem Titel *Die Sendung Semaels* 1919 erstmals mit Elisabeth Bergner in Wien und schließlich Anfang 1920 mit Ernst Deutsch und Emil Jannings am Deutschen Theater in Berlin aufgeführt worden. Doch ein ebenso wirkungsvolles Stück brachte Zweig in der Folgezeit nicht zu Papier. Dem standen nicht nur seine *neurotischen Produktionshemmungen* im Wege, auf die er immer wieder zu sprechen kommt[101], sondern auch seine ständig steigenden Ansprüche an das Drama. Dafür spricht, daß er schon

1919 in seinem Aufsatz *Das Theater im Volksstaate* den Dienst an *der deutschen Wiedergeburt* als die einzig würdevolle und große *Aufgabe* der Bühne hinstellte. Zu diesem Zweck, hieß es hier, müsse das Theater endlich *sozialisiert* werden.[102] Als diese Wandlung ins Würdevolle und Große nicht eintrat, erlahmte Zweigs Interesse an solchen Projekten wieder. Er feilte zwar 1919 weiter an seiner *Lucilla* und beschäftigte sich 1921 noch einmal mit dem *Bjuschew*, ließ dann jedoch beide Stücke unvollendet liegen. Und auch aus der gegen die Besitzgier der Inflationsjahre gerichteten Komödie *Laubheu und keine Bleibe*, an der er 1921 und 1922 arbeitete und die er 1923 noch einmal umschrieb, wurde nichts Rechtes.

Trotz dieser Rückschläge erlosch Zweigs Interesse am Theater nicht ganz. Das belegen seine Essays über Lessing, Kleist und Büchner, die er 1923 für neue Werkausgaben dieser drei Dramatiker schrieb. Lessing wird von ihm als einer der hinreißendsten *Vertreter* jener *Aufklärung* herausgestrichen, die bis *heute die Grundlegung aller modernen Entwicklung im Guten und Besten, zu Humanität, Toleranz, Demokratie, Wissenschaft und Philosophie* bilde. Während sich dieser Dichter in seiner «Minna von Barnhelm» auf höchst charmante Weise um die *Entgiftung* einer *Nachkriegsatmosphäre* bemühe, werfe er sich im «Nathan» zum Anwalt aller *verfolgten Minderheiten* auf, womit er noch heute – angesichts des herrschenden Antisemitismus – *hoffnungslos vorn stehe.*[103] In Kleist feierte Zweig vor allem den radikalen Wahrheitssucher, den höchst Verletzlichen und zugleich unerbittlichen *Realisten*, der sich als preußischer Rebell und glühender Vaterlandsfreund gegen seinen eigenen Staat aufgelehnt habe.[104] Und auch in Büchner, dessen tiefgehende Wirkung auf Zweig schon der *Ritualmord in Ungarn* belegt, sah er einen ebenso isolierten Außenseiter und Rebellen, der sich aus *dem Grunderlebnis menschlicher Standesgleichheit und menschlichen Glücksanspruchs* nachdrücklich für die Niedrigsten der Niederen eingesetzt habe. Zweigs besondere Liebe galt daher dem *Sozialrevolutionär* Büchner, dessen «Hessischer Landbote» das *erste Dokument des deutschen Sozialismus* sei und der mit seinem «Woyzeck» *das erste deutsche Trauerspiel* geschrieben habe, dessen Held direkt *dem Volke*, ja den Schichten *unterhalb aller bisherigen dramenwürdigen Stände* entstamme.[105] Zwei Jahre später erschienen diese drei Vorworte noch einmal separat im Verlag Kiepenheuer als Essayband. Die Reaktion darauf war jedoch gering. An Rebellen und Außenseitern bestand nach der Trendwende von 1923, welche die «Periode der relativen Stabilisierung der Weimarer Republik» einleitete[106], offenbar kein Interesse mehr. Aus diesem Grund führte Zweig das 1923 von Siegfried Jacobsohn angeregte Buch *Juden auf der deutschen Bühne*, in dem er nochmals die These vertreten wollte, daß die Juden in erster Linie *Mittelmeermenschen* seien und daher eine genuine Begabung fürs *Mimische* hätten[107], erst in der zweiten Hälfte der zwanziger Jahre aus.

Um so intensiver wandte sich Zweig, wie auch andere Dramatiker der Weltkriegsära, nach diesem Zeitpunkt wieder epischen Formen zu, in denen er sich direkter, persönlicher auszudrücken hoffte als in den eher objektivierten Formen der Tragödie oder des Lustspiels. Er ging bei solchen Bemühungen allen sprachlichen Experimenten, die ihm in ihrer modernistischen Überspitzung als *volksfremd* erschienen [108], bewußt aus dem Weg und schloß sich geradezu programmatisch an Keller, Fontane und Thomas Mann, also die Vertreter des bürgerlichen Realismus an, wie sie Georg Lukács später nennen sollte. Auf Grund dieser Einstellung fand Zweig 1924 selbst einen konservativen Roman wie Hermann Stehrs «Der Heiligenhof», in dem sich seiner Meinung nach *ein wirklicher Erzähler* ausspreche, äußerst lesenswert [109], während er der expressionistisch getönten Prosa eines Alfred Döblin, Carl Sternheim, Max Brod und Albert Ehrenstein nicht viel Gutes abgewinnen konnte.

Doch auch auf dem Gebiet der Prosa brauchte Zweig nach der langen Unterbrechung durch Krieg und Nachkriegszeit eine gewisse Anlaufzeit. Daher stellte er 1920 und 1923 – in den Büchern *Drei Erzählungen* und *Das zweite Geschichtenbuch* – abermals Bände mit bereits früher geschriebenen Geschichten zusammen, bevor er sich an neue Erzählungen oder gar an jenen Roman heranwagte, mit dem er sich schon 1920 von den ihn traumatisch bedrückenden Kriegserlebnissen befreien wollte. [110] Die neugeschriebenen Geschichten faßte Zweig 1925 in den Bänden *Frühe Fährten* und *Regenbogen* zusammen. Von besonderem Interesse sind in diesem Umkreis Erzählungen wie *Kleiner Held, Einen Hut kaufen* sowie *Helbret Friedebringer*, in denen er mit anekdotisch-novellistischer Verkürzung zu vieldiskutierten politischen und sozialen Fragen dieser Jahre wie der Schuld am Krieg, der Nachkriegsmisere sowie den neuen Vermögensverhältnissen Stellung bezog. Zweig versuchte sich in diesen Geschichten, trotz der ihn bedrängenden seelischen Depressionen, der neurotischen Schreibhemmungen und des sich rapide verschlimmernden Augenleidens, im Sinne eines von Zeitschriften wie der «Weltbühne» und dem «Tage-Buch» vertretenen linksliberalen Kurses so konkret und unprätentiös wie nur möglich auszudrücken, um nicht nur die älteren Bildungsschichten, sondern auch die neue Angestelltenklasse der Weimarer Republik anzusprechen.

Um all seinen Spannungen und Ängsten wirksam entgegenzutreten, unterzog sich Zweig 1924 einer im Sinne Freuds durchgeführten psychoanalytischen Behandlung, die ihn zwar nicht sofort in einen mit sich selbst identischen Menschen verwandelte, jedoch seine als Störungen auftretenden Komplexe erheblich verminderte. Beatrice schrieb später über diese Therapie höchst lakonisch, daß ihm Freud über seine «Hemmungen» hinweggeholfen habe, wodurch er 1924 und 1925 endlich wieder fähig geworden sei, seinem Schriftstellerberuf nachzugehen. [111]

Wohl das aufschlußreichste Dokument dieser Wandlung ist der Kurzroman *Pont und Anna*, den Zweig 1925 in dem Band *Regenbogen* herausbrachte. In ihm geht es um den vierzigjährigen Architekten Laurenz Pont, der sich in die bildhübsche Tänzerin Anna Maréchal verliebt, seinen Beruf aufgibt, Frau und Kinder verläßt und der von ihm Angebeteten von Stadt zu Stadt nachreist. Da ihm Anna, seine kleine Göttin, die an eine Schauspielerin wie die junge Bergner erinnert, keine Intimitäten erlaubt, genießt er ihre Nacktheit nur in seinen immer wiederkehrenden Tagträumen, in denen er sich auf das Wollüstig-Lieblichste mit ihr vereinigt. Was auf den ersten Blick wie eine typische Midlife-Krise aussieht,

Werner Klemke: Illustration zu «Pont und Anna»

erweist sich im Verlauf der Handlung als ein tiefgreifender Wandlungsprozeß, der mit einer Pont völlig verwirrenden Amnesie seiner Kindheitserlebnisse beginnt, ihn zu den verschiedensten Ersatzbefriedigungen greifen läßt und ihn schließlich, als er von der Ermordung Annas durch einen rechtsstehenden Studenten erfährt, wieder in die individuelle und soziale Wirklichkeit zurückführt, ja sogar sein Erinnerungsvermögen neu belebt. Dementsprechend kann er am Schluß befreit zu seiner Familie zurückkehren und auch in seinem Beruf wieder Nützliches, Aufbauendes leisten. Was an der Oberfläche wie ein rein individualpsychologischer Verdrängungsprozeß wirkt, der in seinem narzißtischen Kompensationsdrang ständig ins Wünschen und Träumen übergeht, wirkt auf einer tieferen Ebene fast wie ein kollektiver Akt der mangelhaften Bewältigung des Ersten Weltkriegs. So betrachtet, leiden in diesem Roman nicht nur Pont, sondern alle Deutschen an einer Verdrängung ihrer unmittelbaren Vergangenheit. Allerdings wird dieser Aspekt nur angedeutet und auch in der Bearbeitung von 1928, in der Pont «die Erinnerung an die Erschießung Grischa Paprotkins bewußt beiseite schiebt»[112], nicht deutlich genug ausgeführt, sondern wieder in die Intimsphäre des eigenen Wandlungsprozesses zurückgenommen.

Nach der Niederschrift dieses Werks fühlte sich Zweig wesentlich freier und machte sich 1926 endlich an die Abfassung jenes großen Romans, in dem er seine Kriegserfahrungen darstellen wollte. Dabei griff er auf die Handlung seines *Bjuschew* zurück, den er Anfang der zwanziger Jahre als fast abgeschlossenes Drama liegengelassen hatte. Die Fabel ist die gleiche: Der russische Sergeant Grischa Iljitsch Paprotkin entflieht 1917 in Ober-Ost aus deutscher Kriegsgefangenschaft. Unterwegs begegnet er der Beerenfrau Babka, die sich in ihn verliebt und ihm rät, sich als der Überläufer Bjuschew auszugeben, falls man ihn wieder aufgreifen sollte – nicht ahnend, daß Überläufer von den Deutschen grundsätzlich erschossen werden. Kurze Zeit später fällt Grischa den Deutschen erneut in die Hände, befolgt Babkas Rat und wird zum Tode verurteilt. Als er daraufhin seinen wahren Namen gesteht, wird sein Fall der zuständigen Militärgerichtsabteilung übergeben. Statt jedoch das Urteil rückgängig zu machen, wie einige der ehr- und pflichtbewußten preußischen Offiziere empfehlen, entscheidet sich General Albert Schieffenzahn (Ludendorff), Grischa dennoch erschießen zu lassen, um im Hinblick auf die russische Revolution und die durch sie ausgelöste Unruhe in den Ostgebieten ein Exempel zu statuieren. Und dieses Urteil wird auch vollstreckt.

Auf der Grundlage dieses winzigen Handlungsstrangs, der eher novellistischen als romanhaften Charakter hat, entwirft Zweig in *Der Streit um den Sergeanten Grischa* das Gesamtbild einer unbarmherzigen Kriegsmaschinerie, in der Macht eindeutig vor Recht geht. Nicht der Gestus einer moralischen Empörung liegt diesem Roman zugrunde, sondern die geradezu akribisch-detektivische Aufdeckung eines politischen, gesellschaft-

lichen und ökonomischen Systems, das sowohl im großen als auch im kleinen von mörderischer Folgerichtigkeit ist. Zweig schrieb über diese Seh- und Arbeitsweise kurze Zeit später: *Wie, frage ich, widerlegt man ein System, eine Gesellschaftsordnung und den von ihr schwer wegzudenkenden Krieg? Indem man seine leidenschaftlichen Gegenaffekte abreagiert und Karikaturen vorführt? Meiner Meinung nach widerlegt man ein System, indem man zeigt, was es in seinem besten Falle anrichtet, wie es den durchschnittlich anständigen Menschen dazu zwingt, unanständig zu handeln... Wir wollen nicht Schurken entlarven wie unser Freund Schiller, sondern Systeme.*[113] Demzufolge weisen in diesem Roman nicht nur positiv gezeichnete Gestalten wie der General Otto Gerhard von Lychow, der

Zweig mit seiner Mutter und seinen Geschwistern Ruth und Hans (26. Januar 1926)

Kriegsgerichtsrat Posnanski und der Schreiber Bertin, mit dem sich Zweig selber ins Bild zu setzen versucht, sondern selbst Männer wie Schieffenzahn einige sympathische Züge auf, die jedoch in dem dargestellten System und den in ihm herrschenden Machtvorstellungen zwangsläufig folgenlos bleiben.

Der *Grischa* ist daher nicht nur ein Antikriegsroman, sondern zugleich ein Justizroman, der hinter den vordergründigen Aktionen des Kriegsgeschehens stets die tieferen Ursachen der beschriebenen Handlungsabläufe aufzudecken versucht. Dabei werden sowohl individualpsychologische als auch bereits einige freudianische Erkenntnisse mitverarbeitet, aber letztlich die entscheidenden Entschlüsse stets auf machtpolitische

Motivationen zurückgeführt. Schieffenzahn wird deshalb von Zweig nicht einfach ins Schurkenhafte dämonisiert, sondern als Exponent jener annexionssüchtigen Vaterlandspartei hingestellt, in der gegen Kriegsende eindeutig die imperialistisch gesinnten Alldeutschen das große Wort führten, die sich hartnäckig gegen jedmögliche Verständigung mit den Westmächten sperrten und lediglich einen deutschen Siegfrieden gelten ließen. Einer der sozialistisch orientierten Ostjuden dieses Romans formuliert das im ersten Kapitel des letzten Buchs sogar noch schärfer, indem er den wilhelminischen Staat als ein System von *Mehrwertfressern* bezeichnet, die ihre *Waffenproletarier* nur darum in den Krieg schickten, um sich neue Rohstoffquellen und Absatzmärkte zu erschließen.

Arnold Zweig gibt sich darum große Mühe, seinen Lesern immer wieder vor Augen zu führen, daß es nicht irgendeine beliebige «Kriegsmaschinerie» ist, in die sein Grischa gerät, sondern die alldeutsch-wilhelminische, die große Teile des alten Rußland in das deutsche Reich eingliedern möchte. Hinter Grischas Hinrichtung steht als Motiv nicht kriegerische Rachgier, sondern eiskaltes Kalkül, dem er als «arme Kreatur», die in manchem an Büchners Woyzeck gemahnt, hilflos ausgeliefert ist. So gesehen, wirkt seine Exekution letztlich wie das Werk eines Schreibtischmörders, der alles, was nicht in seine Berechnungen paßt, einfach liquidiert. Dies so materialistisch wie nur möglich dargestellt zu haben, ist die eigentliche Größe dieses vielfigurigen Panoramaromans, der nicht einen falschen Führer, sondern ein ganzes System an den Pranger stellt. In einem solchen System, lautet das anspruchsvolle Fazit dieses Romans, werden sogar die Unschuldigen zu Mitschuldigen. Ja, Zweig versäumt keineswegs, in der Figur des Bertin auch sich selbst in diese schuldlos Schuldigen miteinzureihen.

Diktiert wurde der *Grischa* Ende 1926/Anfang 1927, und zwar an 63 Vormittagen, wobei sich Zweig meist mit geschlossenen Augen aufs Sofa legte und im Zustand höchster Konzentration seinem epischen Redefluß freien Lauf ließ, was seiner Prosa jene «Artikuliertheit und rhythmische Ausgeglichenheit» verleiht, deren «natürliche Frische» sich erst beim Vorlesen voll zu erkennen gibt.[114] Als das gesamte Werk, das seine Sekretärin Claire Rooz morgens mitstenographierte und deren Schwester Fränze nachmittags in die Maschine tippte, abgeschlossen war, bot es Zweig erst dem Ullstein-Verlag, der es ablehnte, und dann dem Kiepenheuer-Verlag an, welcher es sofort akzeptierte.[115] Bevor Kiepenheuer den *Grischa*-Roman im Oktober 1927 endgültig auf den Markt brachte, erschien er zwischen dem 12. Juni und dem 16. September des gleichen Jahres unter dem Titel *Alle gegen einen* als Vorabdruck in der «Frankfurter Zeitung». Sowohl der Vorabdruck als auch die Buchausgabe erregten in der Presse und dann auch beim Publikum einen gewaltigen Wirbel, der zwar für Zweig und den Verlag nicht ganz unerwartet kam, jedoch in seinem Ausmaß alle Erwartungen weit übertraf. Mit diesem Buch war

In Berlin (1930)

Zweig endlich der Durchbruch zu einem wirklich großen, weltliterarisch bedeutsamen Roman gelungen, so daß Kiepenheuer in den nächsten zwei Jahren sechs weitere Auflagen des *Grischa* herausbringen konnte.

Ein solcher literarischer Großerfolg stellt sich nur dann ein, wenn die ideologische Konstellation für die in ihm behandelte Thematik günstig ist. Und eine solche Konstellation existierte um 1927 durchaus. Nachdem in den frühen zwanziger Jahren fast ausschließlich kriegsaffirmierende Werke wie «In Stahlgewittern» (1920) von Ernst Jünger, «Unsterblichkeit» (1922) von Rudolf G. Binding und «Douaumont» (1925) von Werner Beumelburg sowie eine Fülle memoirenhafter Schriften von ehemaligen «Kriegshelden» wie Hindenburg, Ludendorff, Tirpitz, Falkenhayn und Lettow-Vorbeck erschienen waren, ja breite Schichten des weiterhin republikfeindlich eingestellten Bürgertums 1925 Hindenburg zu «ihrem» Reichspräsidenten (oder auch «Ersatzkaiser») gewählt hatten, war in der zweiten Hälfte der zwanziger Jahre, als im Zuge der ökonomischen Stabilisierung auch den liberalen Kräften ein gewisser Wirkungsraum eröffnet wurde, erstmals auch nicht-affirmativen Werken über den Ersten Weltkrieg einiger Erfolg beschieden. Diese Stimmung kam daher dem *Grischa* durchaus entgegen. Während sich in anderen Ländern – im Gefolge von Autoren wie John Dos Passos, George Bernard Shaw, Sean O'Casey und Jaroslav Hašek – bereits seit Anfang der zwanziger Jahre eine beachtliche Antikriegsliteratur entwickelt hatte, war Zweigs *Streit um den Sergeanten Grischa* für Deutschland der erste Roman von Format, der das hinter diesem Krieg stehende *System* in aller Offenheit an den Pranger stellte. Und mit diesem Anspruch mußte er sein Publikum notwendig in zwei Lager spalten, das heißt sich Freunde, aber auch Feinde machen.

Beginnen wir mit den positiven Stimmen. Paul Friedländer schrieb in der «Roten Fahne», daß der *Grischa* das Werk eines «anständig gesinnten, geistreichen, aber bürgerlichen Schriftstellers» sei, der seine Charaktere etwas zu «liebevoll» zeichne und sich obendrein ins «Detail» verliere, statt sich um eine «tiefere Erkenntnis der gesellschaftlichen Kräfte» zu bemühen. Auch Kurt Tucholsky fand in der «Weltbühne», daß in diesem großartigen «Friedensbuch», welches ihn tief beeindrucke, einige der preußischen Offiziere viel zu sympathisch, wenn nicht «edel» gezeichnet seien. Wohl am positivsten äußerte sich Lion Feuchtwanger im «Berliner Tageblatt» über den *Grischa*. Er lobte an diesem Roman einerseits den Sinn für das «meisterlich Komponierte», andererseits die tiefbewegende Menschlichkeit des Autors, dem mit seiner Grischa-Figur ein «Gleichnis aller Armen», aller «gutmütigen, unwissenden und doch von instinkthafter Weisheit vollen Unterdrückten» gelungen sei.[116] Auch die Rezensenten zionistischer Blätter, wie der «Jüdischen Rundschau», stimmten voller Stolz auf «ihren» Zweig in diesen Beifall ein. Ebenso solidarisch verhielt sich Robert Neumann, der Rezensent der Zeitung des jüdischen «Central-Vereins», der zwar die zionistische Gesinnung Zweigs ablehnte, jedoch sonst an diesem Autor nichts zu tadeln fand.[117] Dagegen wurde der *Grischa* in allen rechten und rechtsradikalen Blättern als eins der übelsten Machwerke der gegenwärtigen Literatur angegriffen und sein Autor als «Thersites» oder «asiatischer Schmutzfink» abgekanzelt.[118]

Th. Th. Heine: Zeichnung für den «Simplicissimus» (21. März 1927)

Der *Grischa*-Erfolg griff tief in Zweigs Leben ein. Seit dem Erscheinen dieses Romans und dem durch ihn entfachten Wirbel war er kein zweitrangiger Zionist mehr, der vor dem Weltkrieg auch einige schöngeistige Werke verfaßt hatte, sondern einer der großen linksliberalen Autoren der späten Weimarer Republik, der von allen Seiten mit Vortragseinladungen und Buchverträgen bestürmt wurde. Demzufolge bekam Zweigs Lebensstil nach diesem Zeitpunkt, obwohl seine Sehkraft immer schlechter wurde und *alles Schriftliche* bei ihm, wie er Anfang 1928 an Helene Weyl schrieb, jetzt *nur noch vom Mund über die Tipse* ging[119], einen ganz anderen Zuschnitt. Er wohnte zwar mit seiner Familie weiter in seinem kleinen Häuschen in Berlin-Eichkamp, leistete sich aber zusehends ausgedehnte Ferien- und Bildungsreisen, vor allem nach Italien und in die Schweiz, erwarb wertvolle Erstausgaben alter Bücher, kaufte sich Schallplatten mit

Zweigs Atelierhaus in Berlin-Eichkamp, Kühler Weg 9

klassischer Musik, genoß die Verehrung junger Leser und Leserinnen, ja ließ sich durch den Architekten Harry Rosenthal im Kühlen Weg 9, nur wenige Schritte von seinem Haus im Zikadenweg entfernt, ein hypermodernes Atelierhaus mit vielen offenen Glaswänden bauen, da ihm *der Arzt für die nächsten zehn Jahre alles künstliche Licht untersagt* hatte.[120] Obendrein nahm er 1929 für ein Jahr die Präsidentschaft des «Schutzverbandes Deutscher Schriftsteller» an, was viele Reisen und gesellschaftliche Verpflichtungen mit sich brachte. Seiner recht zarten und empfindlichen Frau scheint dieser Trubel zeitweilig etwas zuviel geworden zu sein. Jedenfalls hören wir, daß sie Anfang 1928 einen Nervenzusammenbruch erlitt und in einem *Zehlendorfer Sanatorium mit galvanischen schwachen Strömen* behandelt wurde.[121]

Wie groß der Erfolg des *Grischa* war, beweist außerdem die Tatsache, daß sich eine Reihe ausländischer Verleger sofort um die Übersetzungsrechte dieses Romans bewarb. Einer der ersten war Benjamin W. Huebsch, dem die New Yorker Viking Press gehörte, der bereits Ende 1927 mit Zweig Kontakt aufnahm, Anfang 1928 den *Grischa* durch Eric Sutton ins Englische übersetzen ließ und Zweig am 19. Oktober 1928 stolz berichten konnte, daß er von diesem Buch schon 25000 Exemplare abgesetzt habe und der «Book of the Month Club» im Dezember eine Sonderauflage von weiteren 40000 Exemplaren herausbringe. Am 6. Dezember schickte ihm Huebsch ein Telegramm mit dem knappen, aber vielsagenden Inhalt: «critics enthusiastic. grischa promises great success. congratulations. huebsch.»[122] Nach der New Yorker und Londoner Ausgabe dieses Romans kamen 1929 in Madrid, Kopenhagen, Amsterdam und Riga, 1930 in Warschau, Stockholm, Mailand, Prag und Paris weitere Übersetzungen des *Grischa* heraus, so daß die Gesamtauflage dieses Werkes schnell in die Hunderttausende stieg.

Im Rausch dieses Erfolgs ging Zweig sofort daran, nun auch andere seiner bisher liegengebliebenen oder bei obskuren Verlagen erschienenen belletristischen sowie essayistischen Werke endlich abzuschließen und so schnell wie möglich auf den Markt zu bringen. Von seinen literarischen Werken fallen in diese Kategorie vor allem der 1928 erstmals separat erschienene Roman *Pont und Anna*, das 1930 im Theater am Nollendorfplatz uraufgeführte *Spiel vom Sergeanten Grischa* sowie die Geschichtenbücher *Knaben und Männer* und *Mädchen und Frauen*, die 1931 im Kiepenheuer-Verlag herauskamen. Doch auch an Neufassungen oder Neuauflagen von Werken mit spezifisch jüdischen Themen mangelte es in den folgenden Jahren nicht. Wohl das bekannteste darunter ist das Buch *Caliban oder Politik und Leidenschaft. Versuch über die menschlichen Gruppenleidenschaften, dargetan am Antisemitismus*, das 1927 erschien und dem die vielteilige Aufsatzreihe *Der heutige Antisemitismus* zugrunde liegt, die Zweig 1920 und 1921 in der Zeitschrift «Der Jude» publiziert hatte. Wie schon damals sprach er sich im *Caliban* noch einmal gegen jenen *Zentralitäts- oder Differenzaffekt* aus, der das *Nationale* als obersten Wert empfinde und daher jedes *Anderssein* sofort mit *Minderwertigsein* gleichsetze.[123] Weiter veröffentlichte Zweig Schriften wie die schon 1923 geplante, aber erst 1926 und 1927 niedergeschriebene Monographie *Juden auf der deutschen Bühne* sowie das Buch *Herkunft und Zukunft*, in dem er – unter Weglassung der Struckschen Lithographien – seine beiden Großessays *Das ostjüdische Antlitz* und *Das neue Kanaan* zu einem Band zusammenfaßte. Allerdings ordnete Zweig hierbei in einem Nachwort *das Schicksal der Juden* wesentlich stärker als bisher in die allgemeine *Sache der weißen Menschheit* ein und versprach sich eine Besserung der politischen Verhältnisse für die Juden weniger von einer zionistischen Erweckung als von einer *großen Flutung der Menschheit nach links*[124]. Im gleichen Sinne schrieb er 1929 in einem «Weltbühne»-Beitrag unter dem Titel *Für das arbeitende Palästina*, daß die dortige Arbeiterschaft, die *zum Teil in kommunistischen Siedlungen* lebe, *Vorpostenarbeit* für *die gesamte Menschheit leiste*, nämlich *neuere und bessere Formen des Zusammenlebens und der gerechten Verteilung des Arbeitsertrages zu finden*.[125]

Doch neben die spezifisch sozialistische Perspektive trat in Zweigs Schriften dieser Jahre auch eine gruppen- und massendynamische Sicht gesellschaftlicher Vorgänge, als deren Hauptinitiator er Sigmund Freud betrachtete. Es war daher Freud, welchem er so viele *prinzipielle Einsich-*

ten und zugleich *die Wiederherstellung seiner gesamten Person*, nämlich *die Heilung seiner Neurose* verdankte, dem er den *Caliban* respektvoll *zueignete*.[126] Freud nahm diese Widmung mit gebührender Schätzung der ihm erwiesenen Ehre dankbar an.[127] Auf das Antisemitismus-Problem ging Freud allerdings in seinem Antwortschreiben nicht näher ein, da er in den meisten Menschen ohnehin ein «elendes Gesindel» sah.[128] Als sich

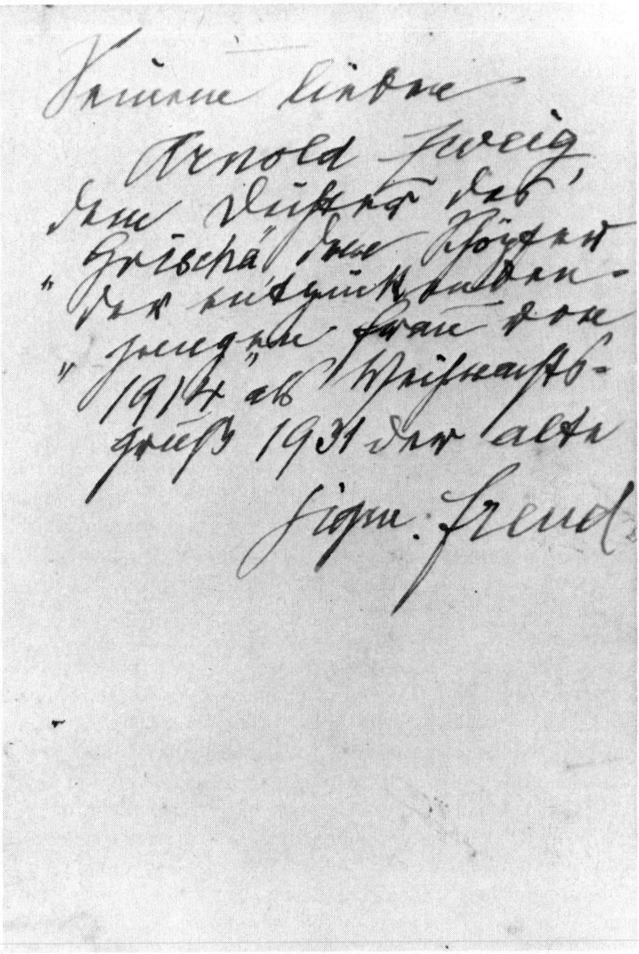

Foto Sigmund Freuds mit Widmung für Arnold Zweig (Dezember 1931)

Freud im Frühjahr 1929 in Berlin einer ärztlichen Behandlung unterziehen mußte, lernten sich beide auch persönlich kennen, woraus sich eine immer herzlicher werdende Freundschaft entwickelte. In Freud fand Zweig endlich einen lange entbehrten väterlichen Berater, den er in seinen Briefen mit *Lieber Vater Freud* adressierte, während ihn Freud – voller Hochachtung für Zweigs «altmeisterliche» Prosa – mit «Lieber Meister Arnold» anredete. Daher zögerte Zweig in den nächsten Jahren nicht, Freud fast alle seine Neuerscheinungen zuzuschicken sowie ihm von seinen diversen Buchprojekten zu erzählen, auf die Freud – trotz seines hohen Alters – mit einer erstaunlichen Offenheit und zugleich kritischen Anteilnahme einging.

Zu diesen Plänen gehörten in den Jahren zwischen 1928 und 1933, also bis zur Machtübergabe an die Nationalsozialisten, vor allem jene zwei Romane, mit denen Zweig den *Streit um den Sergeanten Grischa* zu einer epischen Trilogie ausbauen wollte. Daß ihn dieser Plan bereits 1927 beschäftigte, belegt eine kurze Nachbemerkung auf der letzten Seite der Buchausgabe des *Grischa*, wo es unter anderem heißt: *Der Roman «Der Streit um den Sergeanten Grischa» ist das Mittelstück eines Triptychons, dessen Gesamttitel «Trilogie des Übergangs» heißen wird. Ihm wird zeitlich und handlungsmäßig der Roman «Erziehung vor Verdun» vorhergegeben; der Roman «Einsetzung eines Königs» wird folgen.* Und zwar faßte Zweig diese Ausweitung aus mehreren Gründen ins Auge: erstens fühlte er sich durch den Erfolg des *Grischa* zu weiteren solcher «Erfolge» beflügelt, zweitens folgte er damit dem allgemeinen Trend zur Mehrteiligkeit innerhalb der durch ihn ausgelösten Kriegsromanwelle dieser Jahre, dem sich auch Erich Maria Remarque, Ernst Glaeser und Ludwig Renn anschlossen, drittens sah er sich durch sein Augenleiden darauf angewiesen, sich auf seine Erlebnisse im Ersten Weltkrieg als einen der wichtigsten Erfahrungsschätze seines Lebens zu konzentrieren, und viertens glaubte er, in diesem Romantyp eine ideale Synthese seiner Neigung zum Psychologischen und zugleich seines politischen Engagements gefunden zu haben.

Der Romankomplex, der dem *Grischa* vorhergehen sollte, hieß anfangs entweder *Erziehung vor Verdun* oder einfach *Bertin*. In ihm wollte Zweig seinen eigenen Wandlungsprozeß vom verblendeten Idealisten zum kritischen Pazifisten während der ersten Kriegsjahre darstellen. Doch schon während der ersten Planungen zu diesem Buch scheint ihm aufgegangen zu sein, daß sich ein solcher Prozeß – mit der von ihm angestrebten Differenziertheit – in einem Roman gar nicht erzählen ließ. Zweig spaltete daher das *Bertin*-Konvolut in mehrere Erzählkomplexe auf, aus denen er als eigenständiges Buch erst die *Junge Frau von 1914* herauslöste, dann die *Erziehung vor Verdun* auf einen Justizfall zuspitzte und schließlich dem Rest dieses Projekts, das sich mit den Monaten vor dem Kriegsausbruch beschäftigen sollte, vorläufige Titel wie *Das Gesetz des Frühlings* oder *Aufmarsch der Jugend* gab. Allerdings blieb die Zentralfigur all dieser Teilromane stets Bertin, der nicht klüger sein sollte als *der gute Durchschnitt* jener Intellektuellen um 1914, die damals in den Krieg einfach ahnungslos hineingestolpert seien, wie er am 4. Januar 1932 an Stefan Zweig schrieb.[129] Ähnliche Konzeptionsschwierigkeiten hatte Zweig mit dem Roman *Einsetzung eines Königs*, in dem er den Ausgang des Kriegs aus der Perspektive eines deutschen Offiziers schildern wollte,

Beatrice Zweig (um 1929/30)

um etwas genauer auf die *Verstrickung von Schlacht, Wirtschaft, Politik und Gesellschaft* eingehen zu können[130], wie er schon 1930 erklärte. Auch hier mußte Zweig die Stoffmasse später noch einmal teilen und wollte auf dieses Werk die Romane *Die Feuerpause* und *Das Eis bricht* folgen lassen.

Fertig wurde von diesen Teilprodukten vor 1933 nur ein Roman, nämlich *Junge Frau von 1914*, den Zweig im Januar 1930 aus dem *Bertin*-Komplex herausnahm und erstmals als ein eigenes Buch *durchschematisierte*[131]. Mit dem Diktat dieses Romans begann er Anfang April und beendete es am 8. Juni des gleichen Jahres. Nach Gesprächen mit Feuchtwanger, der ihm zu drastischen Kürzungen riet, legte Zweig die beiden ersten Kapitel von *Junge Frau von 1914* für den Roman *Aufmarsch der Jugend* beiseite und arbeitete das Übrige zwischen Januar und Juni 1931 noch einmal sorgfältig um. Nach zweimaligen Korrekturen im Juni und Oktober konnte dieses Werk, in dem Zweig im wesentlichen die Zeit vom April 1915 bis zur Hochzeit Werner Bertins mit Lenore Wahl im Juni 1916 darstellte, am 3. Dezember endlich ausgeliefert werden.

Der Erfolg von *Junge Frau von 1914* war zwar nicht so groß wie der des *Grischa*, aber doch recht beachtlich. Schließlich handelte es sich diesmal um einen Liebesroman, der schon durch die ihm vorangestellten Anfangstakte des Schumannschen Klavierkonzerts in a-Moll auf jenen Robert und jene Clara anspielte, die anfangs ähnliche Schwierigkeiten zu überwinden hatten wie Arnold und Beatrice. Selbst eine Abtreibung, die Lenore über sich ergehen lassen muß, gefährdet diese Liebe nicht. Letztlich hat dieser Roman – trotz der häßlichen Folgeerscheinungen einer als naturhaft erlebten Sexualität, trotz der Hartherzigkeit der Eltern und trotz der bedrückenden Schwere des Kriegs, die stets spürbar bleibt – einen deutlichen Zug ins Optimistische, ja Unbedingte einer wahrhaft «großen Liebe», der es allen bürgerlich-liberalen Lesern als ein zutiefst beglückendes Buch empfehlen mußte. Kiepenheuer konnte daher der Erstausgabe schnell weitere Auflagen folgen lassen; und auch die Übersetzungen ließen nicht lange auf sich warten.

Doch statt nun den Roman *Erziehung vor Verdun* abzuschließen, an dem Zweig mit Hilfe Lily Offenstadts, eines jungen Mädchens aus wohlhabendem jüdischem Haus, schon zwischen September und Dezember 1930 gearbeitet hatte, begab er sich zwischen dem 3. Februar und 6. April 1932 erst einmal auf eine schon seit langem geplante Orientreise. Sie führte ihn über Marseille nach Haifa, wo er auf dem Karmel seinen alten Freund Hermann Struck besuchte, der 1928 endgültig nach Palästina übergesiedelt war, und dann neben anderen Orten des «Heiligen Landes» auch Teile des Libanon und Ägyptens bereiste. Auf dieser Rundreise kam ihm im Februar die Idee, eine Novelle über den holländischen Dichter Jakob Israel de Haan zu schreiben, der 1918 nach Palästina gekommen war, sich dort jedoch wegen seiner ultra-orthodoxen, das heißt einer allein auf die Wiederkehr des Messias vertrauenden und damit gegen die Gründung eines jüdischen Staates gerichteten Gesinnung sowie seiner homosexuellen Beziehungen zu jungen Arabern unter den extrem nationalistischen Gruppen nur Feinde gemacht hatte. Schließlich war de Haan 1924 von zwei zionistischen Fanatikern in Jerusalem erschossen worden. Als Zweig nach Berlin zurückkehrte, begann er am 21. Mai mit dem Diktat dieser Geschichte, das er am 18. Juni, wieder mit der Hilfe Lily Offenstadts, beendete. Als diese Erzählung anfang Dezember bei Kiepenheuer als Buch erschien, trug sie den Titel *De Vriendt kehrt heim*.

Arnold Zweig verlegte in diesem Werk den Mord an de Haan in das Jahr 1929, «so daß die damals stattgefundenen Gewalttaten der Araber

Michael und Adam Zweig (um 1929/30)

wie eine direkte Folge des Mordes» an de Haan erscheinen mußten, den die Zionisten nachträglich den Palästinensern in die Schuhe geschoben hatten.[132] Bei ihm wird de Vriendt ständig gewarnt, doch lieber das Land zu verlassen, bleibt aber seiner antichauvinistischen Haltung treu und bezahlt diese Furchtlosigkeit schließlich mit dem Tode. Da *De Vriendt kehrt heim* etwa sieben bis acht Wochen vor Anbruch der Nazidiktatur erschien, gab es in der Presse keine Reaktionen mehr darauf. Doch auch bei einem anderen Verlauf der politischen Ereignisse wäre dieser Roman sicher auf weitgehendes Unverständnis gestoßen. Die Nazis hätten ihn als «jüdische Schweinerei», die Zionisten als ein «antizionistisches Pamphlet» angegriffen. Und von den Liberalen wären für dieses Buch, das im gleichen Sinne gegen den § 175 (Homosexualitätsverbot) polemisiert wie *Junge Frau von 1914* gegen den § 218 (Abtreibungsverbot), sicher nur Homosexuelle wie Magnus Hirschfeld oder Kurt Hiller eingetreten. Zweig selbst verteidigte es am 25. November 1932 in der «Jüdischen Rundschau» als ein Werk, das kein *Dokument*, sondern eine *Dichtung* sei. Er habe in ihm den *Widerspruch* zwischen *dem jüdischen und dem sozialistischen Geist* aufdecken und damit etwas zur *Aufhellung der Ideenkämpfe unserer gegenwärtigen Epoche* beitragen wollen.[133] Doch eine solche Sicht, der die liberale Auffassung einer kritischen Öffentlichkeit zugrunde liegt, war im Dezember 1932 bereits anachronistisch geworden. Zu diesem Zeitpunkt ging es nur noch um klar umrissene Parteistandpunkte, aber nicht mehr um subtile Zwischentöne.

Von der allgemeinen politischen Misere einmal abgesehen, fühlte sich Zweig gerade in diesen Wochen und Monaten nicht besonders unwohl.

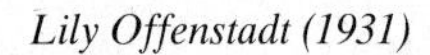

Lily Offenstadt (1931)

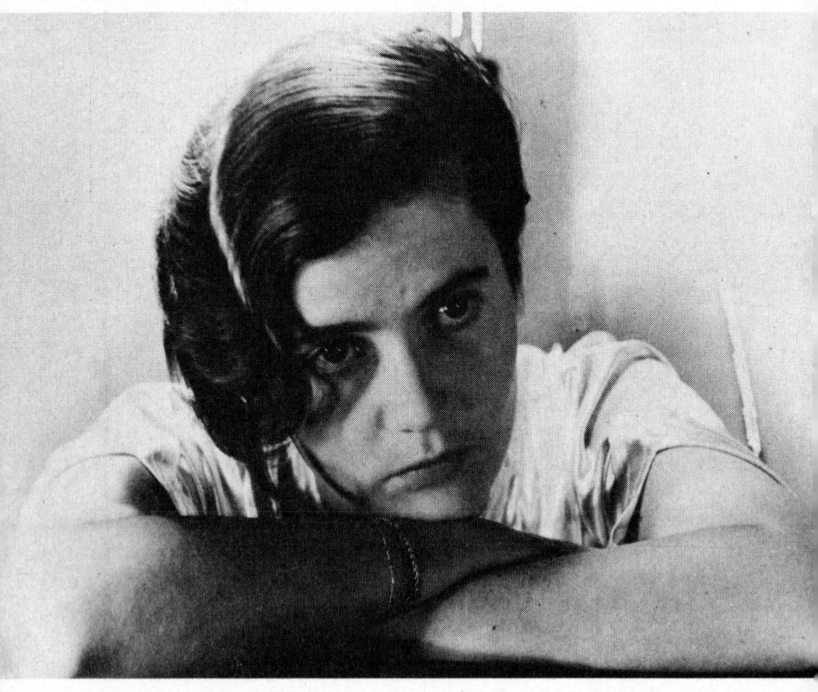

Mit seinem linken Auge konnte er wieder besser sehen und sein rechtes wurde einer Spezialbehandlung unterzogen, die ebenfalls eine leichte Besserung versprach. Ebenso gut war ihm das hektische Diktat des *De Vriendt* bekommen. In diesem Roman hatte er sich endlich in aller Offenheit seinen homophilen Neigungen hingegeben und sich rückhaltlos mit den dargestellten Figuren *identifiziert*, wie er am 29. Mai höchst vertrauensvoll an Freud schrieb. *Ich war beides*, heißt es in diesem Brief, *der arabische (semitische) Knabe und der gottlos-orthodoxe Liebhaber und Schriftsteller*. Hier habe er seinem *entfesselten Trieb*, heißt es weiter, endlich einmal freie Bahn gelassen, das heißt *älteste Tabus* angetastet und damit zur *Aufhebung* seiner *Verdrängungen* beigetragen.[134] Von dieser Briefstelle her gesehen, fällt auch auf die Schlußszene der *Novellen um Claudia*, seine frühere Vorliebe für Stefan George sowie das 1930 geschriebene *Vorwort* zu einer Ausgabe der «Werke» von Oscar Wilde ein neues Licht.

Diese Stelle gibt vielleicht sogar eine Erklärung dafür ab, warum viele seiner weiblichen Figuren, wie die Anna Maréchal in *Pont und Anna*, ausgesprochen knabenhafte Frauen à la Elisabeth Bergner sind. Das gilt zum Teil auch für Lily Offenstadt, die seit 1930 immer stärker zum zweiten Mittelpunkt seines Lebens wurde. Lily, die mit dem Berliner Siemens-Ingenieur Hans Leuchter verlobt war, hatte erst Zweigs Bibliothek geordnet, dann seine ausländische Korrespondenz übernommen und schließlich – neben Claire Rooz – seinen Erzählfluß mitstenographiert. Ihr diktierte Zweig bald seine intimsten Briefe, wie den eben erwähnten an Freud, ihr widmete er den Roman *De Vriendt kehrt heim*, und ihr verfiel er im Laufe dieser Zusammenarbeit mit einer Leidenschaft, welche sie, die um 22 Jahre Jüngere, mit der ganzen Intensität und Vehemenz ihrer Jugend erwiderte. Als sich diese Liebe nicht länger verbergen ließ, ging Beatrice 1932 nach Paris, um sich dort weiter als Malerin ausbilden zu lassen. Mit Lily gab sich Zweig endlich seinem Ideal einer *polygamen Ehe* hin, das er um 1923/24 schon einmal mit Helene und Beatrice verwirklichen wollte, vor dem Helene jedoch zurückgeschreckt war.[135] Um so intensiver lebte er dieses Ideal jetzt aus. Am 21. Dezember 1932 fuhr er mit Lily zum Winterurlaub nach Tatra-Lomnitz (heute Tatranská Lomnica) in den tschechischen Karpaten und schrieb am 30. Dezember voller Glück an Beatrice in Paris: *Lily ist der beste und zärtlichste Reisekamerad außer Dir.*[136] Einen Tag später notierte er sich als widersprüchliches Resümee dieser Monate in seinen *Taschenkalender*: *Das Jahr endet gut. Es ist das reaktionärste seit dem Kriege. Gleichwohl habe ich den De Vriendt gut und sehr schnell herausgeschleudert... Wir lesen eben meinen alten «Esmond», zum ersten Mal seit der Tippkopie. Welch ein Weg von 1909 bis zum heutigen Abend! Es wäre gut, wenn es so weiter ginge: viel leben, wenig aufschreiben.*[137]

Doch so konnte es im Januar 1933 nicht weitergehen. In diesen Wochen wurde die politische Situation in Berlin durch die zur Macht drängenden Nationalsozialisten von Tag zu Tag bedrohlicher. Zweig, der 1932 zu André François-Poncet gesagt hatte, daß sich die SPD *eine Regierungsübernahme von seiten der NSDAP* nie gefallen lassen würde[138], vertraute wie fast alle Linksliberalen dieser Ära weiter auf die «Vernunft». Als er am 21. Januar 1933 nach Paris fuhr, tat er das lediglich, um sich mit Beatrice auszusprechen. Hier hörte er am 30. desselben Monats, daß in Berlin *ein Kabinett Hitler-Göring-Frank-Papen-Hugenberg-Seldte* an die Regierung gekommen sei.[139] Darauf traf er sich am 9. Februar mit Lily auf dem Semmering, verbrachte sechs Tage mit ihr in Wien, hielt anschließend in Brünn und Mährisch-Ostrau Vorträge, genoß in Prag ein Konzert mit seinen zwei Lieblingstrios, nämlich *meinen Schubert op. 99 und Brahms op. 101*, schrieb am 18. in seinen *Taschenkalender*: *Werde vielleicht so nichts Gleiches erleben*[140] und begab sich am 21. Februar nach Deutschland zurück. In Dresden hörte er von Kiepenheuer, daß allgemein *große Erregung und Besorgnis* herrsche. Doch Zweig ließ sich in seinem aufklärerischen *Optimismus* nicht beirren.[141] Selbst nach dem Reichstagsbrand, als die Lage wirklich brenzlig wurde, notierte er sich: *Ich werde sehr gewarnt, soll abreisen! Und die Kinder ... Ich ganz ruhig, Lily herrlich.*[142] Auf Grund dieser seelischen Gefaßtheit ging er am 3. März ungestört zur Wahl und wählte die SPD. Nur als er ein paar Tage nichts von Beatrice hörte, wurde er unruhig. Am 14. März fuhren Lily und er nach Spindlermühle in die Tschechoslowakei, wo er weiter an seiner *Schlesischen Novelle* arbeitete, die er ihr vorher in Berlin diktiert hatte. In dieser Geschichte fahren ein älterer jüdischer Herr und eine junge nichtjüdische Frau mit dem Auto höchst verliebt durch Schlesien und entscheiden sich, trotz der faschistischen Gefahr möglichst bald zu heiraten.

Doch das Dichten, Spekulieren und Glücklichsein währte nur kurz. Was angesichts der politischen Realität immer dringlicher wurde, waren erst einmal das Materielle und die menschlich-familiäre Anständigkeit. Dementsprechend fragte sich Zweig am 18. März in seinem *Taschenkalender*: *1) kann ich in Deutschland schreiben, wozu es mich treibt? 2) kann ich in Deutschland leben, ohne denen in den Rücken zu fallen, die das nicht mehr können, moralisch genommen? 3) kann ich mich in Deutschland ernähren?* Ohne eine endgültige Antwort auf diese Fragen zu finden, trennten sich die beiden Liebenden am 23. März. Lily fuhr nach Berlin zurück, Zweig nach Wien, um dort weitere Vorträge zu halten und sich mit Freud über die allgemeine Lage auszusprechen. Von Wien aus schrieb er geradezu täglich an Lily und dann auch an seine Frau, die am 25. März ihre Malstudien in Paris aufgab und nach Berlin zurückkehrte. Am 1. April, dem ersten Boykott gegen die jüdische Bevölkerung, versuchte Beatrice zu ihm nach Wien zu kommen, wurde jedoch in Dresden aus dem Zug geholt und nach einer kurzen Verhaftung, bei der man ihr den Paß abnahm, wieder nach Berlin zurückgeschickt.

Zweig und Lily Offenstadt in Spindlermühle (20. März 1933)

Die folgenden Wochen waren für alle Beteiligten die quälendsten. Um die Situation nicht zu verschlimmern, riet ihm Lily bereits am 2. April dringend ab, nach Berlin zu kommen, und schrieb: «Wir können Dich keinesfalls hier gebrauchen. Du hast die Pflicht, Dich Deiner Familie – und mir auch ein bißchen – zu erhalten.»[143] Und Zweig fügte sich diesem Rat. In Berlin kam es anschließend zwischen Lily und Beatrice – trotz aller menschlichen Besorgtheit füreinander – notwendig zu unliebsamen Szenen. Eine Lösung dieser unhaltbaren Situation trat erst ein, als Beatrice Anfang Mai von den Nazi-Behörden ihren Paß zurückerhielt und am 8. Mai nach Prag fahren konnte, wo Zweig sie bereits erwartete. Erst jetzt sahen beide endgültig ein, daß an eine Rückkehr nach Berlin in absehbarer Zeit nicht zu denken war. Wenige Tage später hörte er, daß man ihn als Zionisten, Sozialisten und Pazifisten auf die *12er Liste der für Deutschland schädlichen Autoren* gesetzt habe.[144] Damit begann für beide, die zwar schon früher Auswanderungspläne gehegt hatten, sich aber nie von der deutschen Kultur losreißen konnten, ein Exil, das fünfzehn Jahre währen sollte.

Die Jahre des Exils in Palästina (1933–48)

Nachdem sich Zweig am 13. Mai 1933 in Wien von Freud verabschiedet hatte, fuhr er mit Beatrice nach Basel, um bei *der dortigen Filiale der Anglo-Palestine-Bank* seine Geldangelegenheiten in Ordnung zu bringen.[145] Anschließend begaben sich beide zu einer kurzen Erholung *an den idyllischen Ort Gunten am Thuner See*, der ihm noch aus der Zeit seiner Kleist-Studien vertraut war und wo er sich wieder *sehr nett mit Beatrice anfreundete*[146]. Zugleich führte Zweig dort erste Gespräche mit Fritz Landshoff, einem ehemaligen Mitarbeiter des Kiepenheuer-Verlags, der ihm von seinen Plänen berichtete, mit Emanuel Querido in Amsterdam einen Exil-Verlag zu gründen. Als erstes Buch für dieses Unternehmen bot ihm Zweig eine *Bilanz der deutschen Judenheit* an. Als sich Landshoff dafür brennend *interessierte*, fühlte Zweig wieder neuen *Auftrieb* und begann sogleich, einen Roman *Der Deutsche und der Jude* oder *Isaak Deutsch* zu projektieren.[147] Da es jedoch in Gunten unentwegt *regnete*, reisten er und Beatrice, obwohl er *lieber nach Hause gefahren* wäre, wie er seinem *Taschenkalender* anvertraute[148], anschließend über Mailand nach Bandol in Südfrankreich, wo sie am 19. Juni von Feuchtwanger am Zug abgeholt wurden. Anfang Juli siedelten beide nach Sanary-sur-Mer über, wo nicht nur Lion und Marta Feuchtwanger wohnten, sondern das auch Thomas und Heinrich Mann, Bertolt Brecht, René Schickele, Wilhelm Herzog, Hermann Kesten, Annette Kolb, Julius Meier-Graefe und andere Vertriebene aus dem Hitler-Reich als ihren ersten Zufluchtsort wählten. Während Zweig mit Feuchtwanger und Brecht, seinen alten Freunden aus München und Berlin, einen besonders engen Umgang hatte, blieb sein Verhältnis zu Thomas Mann reserviert. *Ich glaube, er kennt nichts von mir*, notierte er sich am 17. Juli enttäuscht in sein *Tagebuch*.[149]

Ende Juni traf auch Lily Offenstadt, die vorher noch einige wichtige Manuskripte aus dem bereits beschlagnahmten Berliner Haus gerettet hatte, in Südfrankreich ein. Daher konnte Zweig schon am 27. Juni mit dem Diktat seiner *Bilanz der deutschen Judenheit* beginnen. Zwei Tage später lesen wir bereits in seinem *Taschenkalender*: *Arbeit gut*. Überhaupt waren diese Wochen nicht die unglücklichsten in seinem Leben: Beatrice und Lily kamen gut miteinander aus, seine Verbundenheit mit beiden steigerte sich geradezu von Tag zu Tag und das Diktat der *Bilanz der deutschen Judenheit* ging so schnell vonstatten, daß er den ersten Teil mit Hilfe des fünfteiligen «Jüdischen Lexikons», das ihm Feuchtwanger zur Verfügung stellte, bereits Ende Juli abschließen konnte.

Daß Zweig, als dem exponiertesten Zionisten unter den bekannteren Schriftstellern der Weimarer Republik, ein solches Projekt besonders am Herzen liegen mußte, ist verständlich. Dementsprechend hatte er sich schon am 1. April 1933 unter dem Titel *Die Juden* voller Verbitterung über die ideologische Verwirrung so vieler seiner deutsch-jüdischen Mitverfolgten notiert: *1) sie erkennen ihre Lage nicht – daß sie von den Linken*

Anzeige des Querido-Verlags auf der Rückseite von Zweigs Novellenband «Spielzeug der Zeit» (1933)

HERBSTNOVITÄTEN 1933

Alfred Döblin
JÜDISCHE ERNEUERUNG
Broschiert Hfl. 1.—; in Leinen Hfl. 1.50

Lion Feuchtwanger
DIE GESCHWISTER OPPENHEIM
Broschiert Hfl. 2.90; ROMAN in Leinen Hfl. 3.90

Lion Feuchtwanger
DER JÜDISCHE KRIEG
Broschiert Hfl. 2.75; in Leinen Hfl. 3.25

Emil Ludwig
GESPRÄCHE MIT MASARYK
MIT EINEM LEBENSBILD MASARYKS
Broschiert Hfl. 3.25; in Leinen Hfl. 4.25

Heinrich Mann
DER HASS.
DEUTSCHE ZEITGESCHICHTE
Broschiert Hfl. 2.50; in Leinen Hfl. 3.50

Gustav Regler
DER VERLORENE SOHN
Broschiert Hfl. 2.75; ROMAN in Leinen Hfl. 3.75

Joseph Roth
TARABAS
EIN GAST AUF DIESER ERDE
Broschiert Hfl. 2.75; ROMAN in Leinen Hfl. 3.75

Anna Seghers
DER KOPFLOHN
Broschiert Hfl. 1.90; in Leinen Hfl. 2.90

Ernst Toller
EINE JUGEND IN DEUTSCHLAND
Broschiert Hfl. 2.—; in Leinen Hfl. 3.25

Arnold Zweig
SPIELZEUG DER ZEIT
Broschiert Hfl. 2.50; in Leinen Hfl. 3.75

DIE BÜCHER SIND IN JEDER BUCHHANDLUNG ERHÄLTLICH

QUERIDO VERLAG / AMSTERDAM

Adolf Hitler (um 1933)

leben – rücken sie nach rechts 2) sie erkennen ihre Feinde nicht, daß die herrschende Klasse sie nicht deckt 3) sie erkennen sich selbst nicht, daß ihre «Auserwähltheit» eine falsche Interpretation ihrer Geschichte und Rolle ist. Und seine Folgerung war bereits damals gewesen: *Nur Antifaschismus und Demokratie allein sichern den Juden die nackte Existenz. Überall! Auch im eigenen Lager. Sich nichts vormachen! Keine Wunschphantasien in der Politik!*[150]

Um diese unabdingbare Wendung nach links möglichst schnell herbeizuführen, setzte sich Zweig in seiner *Bilanz der deutschen Judenheit* vor allem drei Ziele: erstens die *schöpferischen Leistungen* der deutschen Juden vor aller Welt gebührend herauszustreichen und deutlich zu machen, daß gerade *die enge Zusammenarbeit von Juden* und Nichtjuden jene tiefgehende *Symbiose* ermöglicht habe, aus der *die moderne deutsche Kultur*, ja selbst die moderne *deutsche Wirtschaft und Wissenschaft* hervorgegangen sei[151], zweitens die Juden, welche sich auf Grund ihrer Mißachtung seit Jahrhunderten für Recht und Menschenwürde eingesetzt hätten, aufzurufen, auch in Zukunft das Los aller Unterdrückten zu ihrem eigenen zu machen, und drittens den Völkerbund zu bewegen, das jüdische Volk endlich als ein gleichwertiges Mitglied anzuerkennen und dafür zu sorgen, daß diesem Volk in Palästina eine würdige Heimstatt bereitet werde. Den deutschen Faschismus stellte Zweig in diesem Zusammenhang als die Fortsetzung jenes *landhungrigen Militarismus* der alten Herrenschicht der Junker, Großindustriellen und alldeutschen Demagogen hin, die ihre Anhänger jetzt lediglich in *braune* statt in *feldgraue Uniformen* einkleide.[152] Um *aus diesem lasterhaften Zirkel von National- und Privategoismen* herauszukommen, setzte sich Zweig am Schluß seiner *Bilanz* für den unablässigen Kampf um eine *Gesellschaftsordnung* ein, deren Endziel eine *sozialistische Welt* sein müsse.[153]

Während Zweig noch mit dem Diktat dieses Buchs beschäftigt war, trafen Anfang August seine beiden Söhne aus Berlin ein, für die in den letzten Monaten seine Schwägerin Miriam gesorgt hatte. Abgeschlossen wurde das Diktat der *Bilanz* am 23. des gleichen Monats. Danach traten erst einmal die Auswanderungspläne in den Vordergrund. Wie schon in Wien und Basel geplant, beschlossen die Zweigs, vorläufig nach Palästina zu gehen. Auch Lily Offenstadt, die *Nicht-Zionistin* war und ursprünglich *nach Dänemark gehen wollte*[154], entschied sich, mit Hans Leuchter, ihrem Verlobten, nach Palästina überzusiedeln, um weiterhin mit Zweig zusammenarbeiten zu können. Nach einigen Tagen eines nachsommerlichen Glücks, das Zweig und Lily noch beschieden war, verließ sie Sanary am 5. September. Beatrice und die Kinder schifften sich Ende September in Marseille auf der «Champollion» nach Jaffa ein, und Zweig versprach ihnen, sobald er die *Bilanz der deutschen Judenheit* glücklich zum Druck befördert habe, nach Palästina nachzukommen. Danach war er in Sanary eine Zeitlang mit Brecht und Feuchtwanger allein und unternahm mit beiden weite Spaziergänge, bei denen alle drei am 9. Oktober fast von Feuchtwangers schlecht geparktem Wagen überrollt worden wären, wenn sie nicht Marta Feuchtwanger durch eine blitzschnelle Reaktion, die ihr einen Beinbruch eintrug, gerettet hätte.[155] Mitte Oktober fuhr Zweig schließlich mit Brecht nach Paris, traf dort mit Klaus Mann, dem Zionisten Nahum Goldmann und dem Verfechter genossenschaftlicher Siedlungskonzepte Franz Oppenheimer zusammen, erledigte mit der Sekretärin Hanna Stern noch einige Arbeiten an der *Bilanz* und versuchte zugleich innerlich mit der Tatsache fertig zu werden, daß Lily und Hans Leuchter am 10. Dezember Hochzeit feierten. Am 14. Dezember – nach Abschluß aller Korrekturen – kehrte Zweig nach Bandol zurück und schiffte sich auf der «Mariette Pascha» nach Jaffa ein, wo ihn am 21. Dezember Beatrice mit den Kindern am Hafen abholte. Als letzte Eintragung in diesem Jahr stehen in seinem *Taschenkalender* die lakonischen Worte: *In Palästina. In der Fremde.*

Als Lily – nach einer Hochzeitsreise durch Griechenland – Mitte Februar in Haifa eintraf, machte Zweig mit ihr sofort wieder *seinen alten Laden auf*, wie er an Marta Feuchtwanger schrieb.[156] Während Michael und Adam zeitweilig in einem Kinderheim bzw. Kinderdorf untergebracht wurden, bewohnten er und Beatrice zu Anfang zwei Zimmer in der Pension «Wollstein» auf dem Karmel-Berg. Diese waren ihnen jedoch auf die Dauer zu klein und wohl auch zu teuer. Darum zogen sie – nach einem

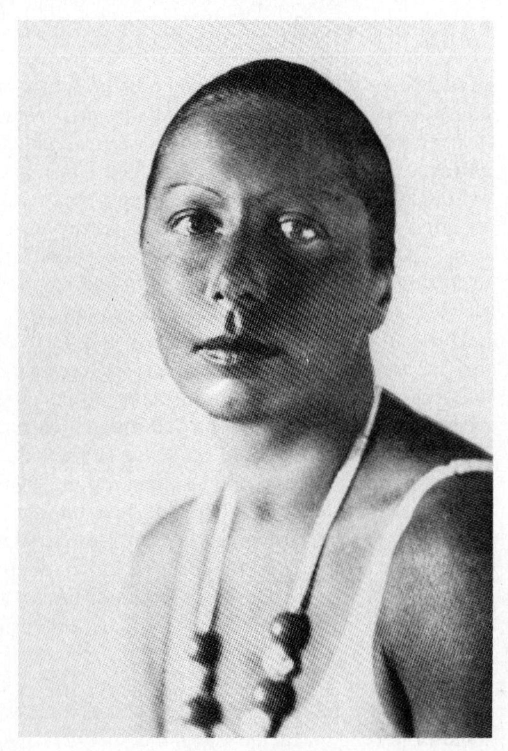

Marta Feuchtwanger in Sanary-sur-Mer (1934)

vorübergehenden Quartier im Haus Teltsch – im Mai 1934 in eine billigere Wohnung ins Haus des ehemaligen Breslauer Röntgenologen Dr. Siegfried Moses um, das ebenfalls auf dem Karmel-Berg lag. Nicht weit davon befand sich das Haus von Hermann Struck, der als wohlhabender Gentleman eine stattliche Villa sein eigen nannte und mit dem Zweig bis zu Strucks Tod im Jahre 1941 einen engen Kontakt pflegte. Doch am meisten schätzte Zweig am Karmel, einem 300 Meter hohen und 30 Kilometer langen Bergrücken am Mittelmeer, das milde Klima, die üppige Vegetation und den herrlichen Ausblick. Hier konnte man spazierengehen, hier war es nicht so heiß wie sonst in Palästina, und hier konnte man fast das ganze Jahr im Meer schwimmen. Lily bezog zum gleichen Zeitpunkt mit ihrem Mann eine kleine Wohnung in Hadar, einem Vorort Haifas, kam jedoch fast jeden Tag den Berg hinauf, um Zweig bei der Arbeit zu helfen.

Als recht unangenehm empfand Zweig, nachdem er die anfängliche

Fremdheit überwunden hatte, lediglich den mangelnden Komfort. Das Dach war nicht dicht, der Ofen funktionierte nicht usw. *Und so gab es viel stille Reibung, besonders bei den Frauen*, schrieb er an Freud, *viel Kummer über den maßlosen Verbrauch an guter Kraft.*[157] Doch auch dieser Ärger legte sich wieder. An seine Stelle trat schließlich ein *gelassenes Vergnügtsein*, das sich mit den materiellen Umständen abfand und zugleich auf die letzten *zionistischen Illusionen* verzichtete. *Ich betrachte die Notwendigkeit, hier unter Juden zu leben*, schrieb Zweig bereits Anfang 1934, *ohne Enthusiasmus, ohne Verschönerung und selbst ohne Spott.*[158] Um nicht unnötig mit dem Schicksal zu hadern, begann er im Frühjahr des gleichen Jahres noch einmal eine Psychoanalyse, erst bei Dr. Ilja Schalit in Haifa und dann bei Dr. Max Eitingon in Jerusalem, die sich bemühten, ihm bei der Aufhellung seiner *Amnesie der Kinderjahre* zu helfen und damit gegen seinen infantilen *Narzißmus* anzukämpfen.[159] Außerdem unternahm Zweig in diesem Jahr – sowohl mit Hermann Struck als auch mit Nahum Goldmann – mehrere kurze Reisen durch Palästina, um sich etwas genauer mit Land und Leuten vertraut zu machen.

An literarischen Plänen beschäftigten ihn in diesem Jahr nicht nur der Roman *Erziehung vor Verdun*, den er zwischen dem 21. März und 21. Dezember diktierte, sondern auch eine Fülle anderer Pläne, von denen er vor allem seinem väterlichen Freund Freud ausführlich berichtete. «Huh», schrieb dieser am 16. Dezember 1934 zurück, «was für eine Häufung von Entwürfen und Projekten, das klingt ja fast manisch. Ist es Ihre Analyse, die all das in Ihnen entfesselt?»[160] Doch es war sicher nicht allein die Therapie, die Zweigs dichterische Phantasie in Gang setzte. Auch seine Isolierung und seine mangelnde Sehkraft trugen stark dazu bei, daß das Pläneschmieden immer wichtiger für ihn wurde. 1934 beschäftigten ihn in diesem Zusammenhang – neben *Erziehung vor Verdun*, einer Reihe Essays sowie der Arbeit an dem Restmaterial des Romans *Junge Frau von 1914*, das er für den *Aufmarsch der Jugend* verwenden wollte – vor allem zwei Projekte, von denen er jedoch das eine nicht ausführte und das andere nicht abschloß.

Das Projekt, das Zweig liegenließ, war ein Roman über Nietzsche. Nachdem er in seiner Studienzeit den elitären Aspekten von Nietzsches Ästhetizismus kritiklos gehuldigt, den gleichen Autor dann in den zwanziger Jahren *bitter abgelehnt*[161], ja im Schlußkapitel seiner *Bilanz der deutschen Judenheit* als *Deutschlands bösen Genius* in eine deutliche Vorläuferschaft zum Dritten Reich gesetzt hatte[162], wollte er jetzt – schon fast im Sinne des späteren «Doktor Faustus» von Thomas Mann – *einen Roman von Nietzsches Umnachtung schreiben*, das heißt neben dem *Lauten*, dem *Wagnerischen seines Heroenkults*, der *Zarathustra-Lisztmusik*, dem *Antisozialismus* in Nietzsches Werk auch das Positive an Nietzsche, nämlich seinen *Kampf gegen das Christentum*, seine *neue Sicht der Antike*, seine *Neubenennung der menschlichen Triebe*, seine *Kritik des bisherigen*

Haifa: Blick vom Karmel

Kulturverlaufs sowie seine *euphorische Ungehemmtheit im Schreiben* herausstreichen, um ihn nicht einfach den Nazis als feile Beute zu überlassen.[163] Doch Freud, dem er dieses Projekt vertrauensvoll unterbreitete und den er sogar fragte, ob er ihm nicht einen Kontakt mit Lou Andreas-Salomé ermöglichen könne, riet ihm – wie auch «Frau Lou» – wegen der «Rätselhaftigkeit» von Nietzsches «Sexualkonstellation», der möglicherweise homosexuelle Neigungen zugrunde liegen könnten, zweimal dringend von einem solchen Plan ab.[164] Daraufhin ließ Zweig dieses Projekt, in dem er seine antifaschistischen Affekte so *grimmig und total* wie nur möglich entladen wollte, wieder fallen.[165]

Recht weit gedieh hingegen sein Drama *Bonaparte in Jaffa*, dessen erste Niederschrift er im Juni 1934 diktierte. An Bonaparte interessierte ihn eine ähnliche Widersprüchlichkeit wie an Nietzsche. In diesem Werk wollte er zeigen, wie sich Humanität und Realpolitik oft im Wege stehen, das heißt ein menschheitlich gesinnter *Eroberer* unter Umständen zum *Unmenschen* werden muß, *wenn er sein Ziel erreichen will.*[166] Zweig demonstrierte das am Schicksal jener 3000 türkischen Soldaten, die Napoleon 1798 in Jaffa erschießen ließ, da er sich bei seinem weiteren Vormarsch nicht mit Gefangenen belasten wollte.[167] Doch kurz nach dem Abschluß dieser Historie in fünf Akten im Sommer 1934 verwarf Zweig die beiden letzten Akte wieder – und ließ dieses Stück, schon aus Mangel an Aufführungsmöglichkeiten, fast zehn Jahre als Fragment liegen.

Um so konsequenter führte Zweig in den gleichen Monaten das Diktat des Romans *Erziehung vor Verdun* zu Ende, von dem er sich einen ebenso weltweiten Erfolg wie von dem *Streit um den Sergeanten Grischa* versprach. Im Sinne seiner *Bilanz der deutschen Judenheit* wollte er in ihm darstellen, daß sich der Faschismus nicht ohne seine Herkunft aus dem wilhelminischen Militarismus und Imperialismus des Ersten Weltkriegs verstehen lasse. Statt lediglich einen weiteren Antikriegsroman zu schreiben, setzte er sich zur Aufgabe, um aus einem Brief an Freud zu zitieren, auch in diesem Buch *eine gründliche Abrechnung mit den Deutschen und den Nazis vorzunehmen*[168]. Wie dem *Grischa* liegt dem *Verdun*-Roman als novellistischer Kern abermals eine Justizaffäre zugrunde, diesmal der «Fall Kroysing». Die Fabel wird dadurch in Gang gesetzt, daß der Unteroffizier Christoph Kroysing eine gerechtfertigte Klage über Unterschlagungen einreicht, worauf ihn die betreffende Dienststelle, die an einer Vertuschung dieser Betrügereien interessiert ist, auf ein sogenanntes «Himmelfahrtskommando» schickt, bei dem er den Tod findet. Der Schipper Bertin, der davon hört, gibt sein Wissen um diese Vorkommnisse an Kroysings Bruder weiter, der daraufhin den gesamten Fall noch einmal aufzurollen versucht, aber ebenfalls an vorderster Front getötet wird. Diese Vorfälle lösen in dem jungen Bertin einen Umlernprozeß aus, der noch dadurch befördert wird, daß er in den Soldaten Wilhelm Pahl und Karl Lebehde zwei ehemalige Berliner Sozialdemokraten kennenlernt, deren Vorbild Karl Liebknecht ist und die ihm den Krieg als einen verlängerten Klassenkampf mit anderen Mitteln erklären. Auf diese Weise wird aus dem gutwilligen Bertin, der mit naiver Kriegsbegeisterung und dem Glauben an die deutsche Kulturmission ins Feld gezogen war, der also die *Mörderhöhle*, in die er gefallen war, eine Zeitlang für eine *Ritterhöhle* gehalten hatte, wie Zweig an Freud schrieb[169], am Schluß ein entschiedener Pazifist, der eine immer tiefere Einsicht in die sozialen und ökonomischen Ursachen des Kriegs bekommt und selbst den Gegensatz zwischen Offizieren und einfachen Soldaten in diese Grundkonstellation einzuordnen weiß.

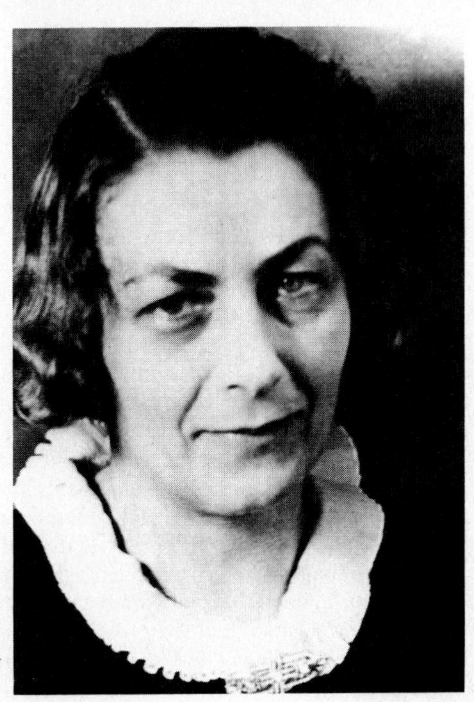

Beatrice Zweig (um 1935)

Nachdem Zweig diesen Roman, mit dem er *die Lücke zwischen der «Jungen Frau von 1914» und dem «Grischa» füllen* wollte, Ende Dezember 1934 ein letztes Mal sorgfältig durchgefeilt hatte, ging das Manuskript an Querido in Amsterdam. Als Buch konnte es jedoch, wegen der langen Postwege und der umständlichen Korrekturen, bei denen ihm seine *Freunde Lion Feuchtwanger und Hermann Struck* zur Hand gingen, wie wir aus der *Nachbemerkung* dieses Romans erfahren, erst im August 1935 erscheinen. Der Erfolg, auf den Zweig gehofft hatte, stellte sich sofort ein. Schon nach wenigen Wochen hatte Querido 3000 Exemplare abgesetzt, was unter den damaligen Exilbedingungen geradezu sensationell war. Schon ein Jahr später kamen die ersten Übersetzungen in London, New York, Kopenhagen und Prag heraus. 1937 folgten Ausgaben in Mailand, Moskau und Warschau, 1938 in Budapest und Paris. Nicht minder positiv war die Reaktion von Zweigs Freunden auf den Roman. Freud genoß vor allem die treffliche psychologische «Charakteristik» der einzelnen Figuren.[170] Feuchtwanger nannte diesen Roman das bestkomponierte Buch, das «die Emigration bisher hervorgebracht hat»[171]. Selbst

Brecht, der über den *Grischa* noch die Nase gerümpft hatte, bezeichnete *Erziehung vor Verdun* als ein Meisterwerk und rühmte besonders die «Darstellung des Klassenkampfs im Schützengraben» [172].

Doch diese internationale und zugleich persönliche Zustimmung stimmte Zweig nicht nur glücklich, sondern machte ihm zugleich seine totale Isolierung in Palästina bewußt. Hier war fast niemand, der die Bedeutung dieses Buchs erkannte, hier wurden ihm keine Ovationen dargebracht, hier wurde er nicht übersetzt. Im Gegenteil. Hier wurde er wegen seines Romans *De Vriendt kehrt heim*, seines Festhaltens an der deutschen Sprache sowie seiner sozialistischen Grundgesinnung von der Mehrheit der nationalistisch eingestellten Juden mehr oder minder scharf abgelehnt. Hier erwartete man keine antifaschistischen, sondern prozionistische Bücher von ihm. Hier sollte er sich in den Dienst der «jüdischen Sache» stellen, Hebräisch lernen und sich möglicherweise sogar zur Religion des Alten Testaments bekehren. Für Deutschsprachiges war in diesem Land, wenn man von einigen Kleinstverlagen und Minizeitschriften wie «Ariel» und «Menora» einmal absieht, an denen neben Zweig lediglich Max Brod, Else Lasker-Schüler, Josef Kastein und Fritz Rosenthal mitarbeiteten, kaum eine Chance.[173] Selbst auf deutsch abgehaltene Kulturveranstaltungen, die sich aller ideologischen Implikationen enthielten, konnten nur in den Wohnzimmern begüterter Familien stattfinden. Und so schrieb Zweig am 1. September 1935 recht unverhüllt an Freud: *Inzwischen durchlaufe ich mannigfache Krisen. Zum ersten Mal stelle ich ohne Affekt fest, daß ich hierher nicht gehöre. Das ist nach zwanzig Jahren Zionismus natürlich schwer zu glauben. Nicht etwa persönlich enttäuscht bin ich, denn es geht uns hier recht gut. Aber alles war irrig, was uns hierher brachte.*[174] In einem anderen Brief an Freud aus der gleichen Zeit bezeichnete er Palästina als *das Land, das aus hebräischem Nationalismus von mir keine Notiz nimmt*[175].

Auf Grund dieser Einsicht konzentrierte Zweig in den folgenden Jahren seine Kräfte immer stärker auf den in Europa ausgetragenen antifaschistischen Kampf. Er spielte sogar für eine Weile mit dem Gedanken, nach Frankreich überzusiedeln. Auf jeden Fall beantragte er 1936, nachdem er fast drei Jahre keine größeren Reisen unternommen hatte, bei den britischen Mandatsbehörden in Haifa einen palästinensischen Paß, um nach Europa zu fahren und sich auch persönlich in das einmischen zu können, was ihm politisch am dringlichsten erschien. Und das war die seit 1935 von der Kommunistischen Internationale propagierte Volksfrontbewegung gegen Faschismus und Nationalsozialismus. Zweig war darum stolz, als man ihn 1936 auf die Mitgliederliste jenes «Ausschusses zur Vorbereitung einer deutschen Volksfront» setzte, zu dem neben Kommunisten wie Anton Ackermann, Wilhelm Pieck und Walter Ulbricht, Sozialdemokraten wie Rudolf Breitscheid, Publizisten wie Hermann Budzislawski und Historikern wie Alfred Meusel auch Schriftsteller wie

Johannes R. Becher, Lion Feuchtwanger, Egon Erwin Kisch, Heinrich Mann, Ernst Toller und Bodo Uhse gehörten.[176] Die Gesinnung, die dieser Bewegung zugrunde lag, erfreute sich zwischen Juni 1936 und Juni 1937, als in Frankreich ein linkes Kabinett aus Kommunisten, Sozialisten und Radikaldemokraten unter Léon Blum an der Regierung war, durchaus der offiziellen Zustimmung der Pariser Behörden. Wie stark sich Zweig für die Deutsche Volksfront engagierte, drückt sich wohl am besten in jenen Aufsätzen aus, die er in diesem Zeitraum für antifaschistische Blätter wie «Die neue Weltbühne», «Das neue Tage-Buch», «Die Sammlung», «Internationale Literatur», «Pariser Tageblatt», «Neue deutsche Blätter» und «Das Wort» schrieb und in denen er sich zu linksgerichteten Autoren wie Bertolt Brecht, Lion Feuchtwanger, Carl von Ossietzky, Heinrich Mann und Kurt Tucholsky bekannte, massive Angriffe auf Hitler, Goebbels und ihre Trabanten vortrug, über die besonderen Aufgaben der emigrierten Schriftsteller nachsann, aber auch im Sinne seiner *Bilanz der deutschen Judenheit* den Anteil der Juden an der deutschen Kultur herausstrich oder die Lage der Juden in Palästina beleuchtete.

Wie sehr sich Zweig dadurch als entschiedener Linker exponierte, beweist sowohl jener Brief vom 30. Mai 1936, in dem ihn Brecht aufforderte, doch mit ihm in die Sowjet-Union zu fahren[177], als auch ein Schreiben vom 23. Juni 1937 von Georg Lukács aus Moskau, in welchem er Zweig Grüße von Johannes R. Becher bestellte, der ihn bitte, mehr Beiträge für die «Internationale Literatur» zu liefern.[178] All das bestärkte Zweig im Gefühl einer in Palästina bitter entbehrten Solidarität. Allerdings machte es ihn keineswegs blind gegenüber manchen Vorgängen in der Sowjetunion, denen er zum Teil recht kritisch gegenüberstand. So war ihm etwa die UdSSR-Begeisterung seines Freundes Feuchtwanger, der 1936 während seiner spektakulären Moskau-Reise sogar von Stalin empfangen wurde, viel zu euphorisch. Als ihm dieser am 9. Dezember des gleichen Jahres aus der Sowjetunion schrieb: «Ich bin tief überzeugt, daß hier die Zukunft liegt, und zwar die nahe Zukunft, vor allem für die Schriftsteller»[179], gab Zweig in seinem Antwortschreiben vom 7. Februar 1937 zu bedenken, ob nicht die derzeitigen Systemgegner in der UdSSR, die vielleicht *einen wirklichen Sozialismus internationalen Gepräges* im Auge hätten, einem *kleinbürgerlichen Nationalisten* wie Stalin weit überlegen seien. Aus diesem Grund warnte er ausdrücklich davor, diese Gruppen einfach als Freunde des «Verräters» Trotzki abzukanzeln.[180]

Um so energischer setzte sich Zweig in dieser Zeit für alles ein, was einer Volksfront sämtlicher Antifaschisten gegen Hitler, Franco und ihre Anhänger dienlich sein konnte. Dazu gehörte neben seiner journalistischen Tätigkeit für linksorientierte Exilblätter vor allem der Roman *Einsetzung eines Königs*, an dem er von Dezember 1935 bis Mai 1937 arbeitete. Mit ihm löste er das bereits im Hinblick auf *Erziehung vor Verdun* gegebene Versprechen ein, die militärischen Expansionsbestrebungen

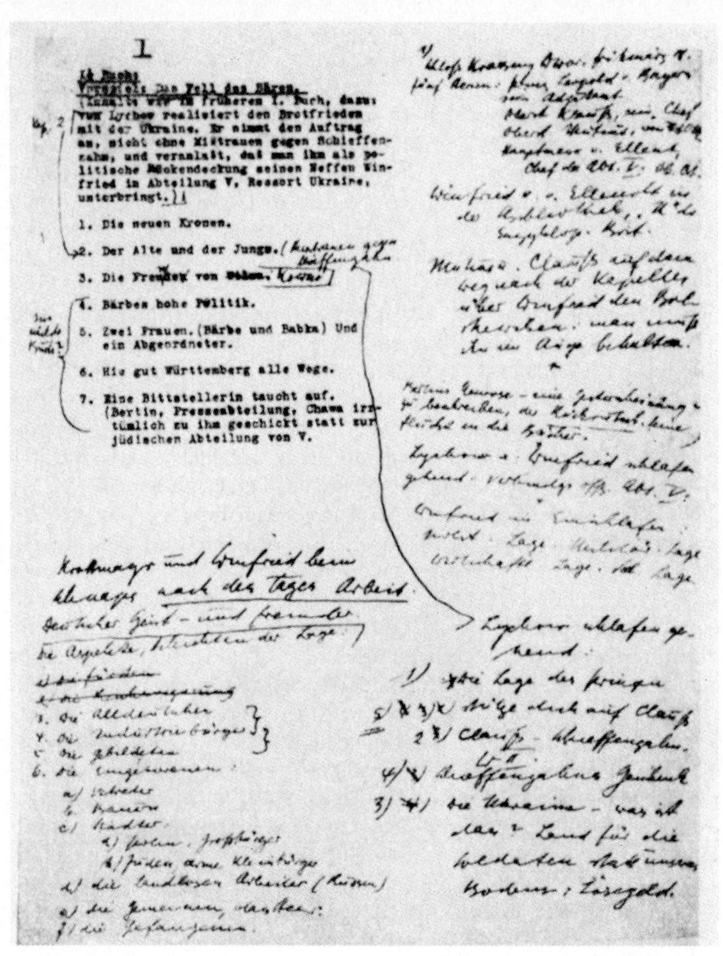

1

von Lychow realisiert den Brotfrieden mit der Ukraine. Er nimmt den Auftrag an, nicht ohne Mißtrauen gegen Schieffenzahn, und veranlaßt, daß man ihm als politische Rückendeckung seinen Neffen Winfried in Abteilung V, Ressort Ukraine, unterbringt.

1. Die neuen Kronen.
2. Der Alte und der Junge.
3. Die Freuden von [illegible]
4. Bärbes hohe Politik.
5. Zwei Frauen. (Bärbe und Babka) Und ein Abgeordneter.
6. Wie gut Württemberg alle Wege.
7. Eine Bittstellerin taucht auf. (Berlin, Presseabteilung, Chawa irrtümlich zu ihm geschickt statt zur jüdischen Abteilung von V.

Seite aus dem Entwurf des Gesamtplans zu «Einsetzung eines Königs» (um 1935)

des Ersten Weltkriegs als eine unmittelbare Vorstufe zum späteren deutschen Faschismus hinzustellen. Dieser Roman spielt wie der *Grischa* in Ober-Ost und behandelt die Zeit vom Februar bis Oktober 1918, also die Monate nach dem zwischen der Reichsregierung und den Bolschewiki abgeschlossenen Waffenstillstand. Während dieser Monate versuchen einige deutsche Generale – mit Unterstützung der in der alldeutsch beeinflußten Vaterlandspartei zusammengeschlossenen Junker und Großindustriellen sowie im Vorgriff auf Hitlers Konzepte einer aggressiven «Ostpolitik» – die innenpolitische Schwäche der Russen auszunutzen, indem sie sich bemühen, neben den kurländischen Provinzen auch die gesamte Ukraine, vielleicht sogar das Kaukasusgebiet von Rußland abzuspalten. Einer der vielen Schachzüge innerhalb dieser Machinationen, dem der Roman seinen Titel verdankt, ist hierbei der Wunsch, den württembergischen Herzog Ulrich von Teck in Litauen als König einzusetzen und somit dieses Land so eng wie möglich an das deutsche Reich zu binden.

Während in *Erziehung vor Verdun* der Krieg weitgehend von unten betrachtet wurde, dominiert in *Einsetzung eines Königs* von vornherein der Blick von oben, um dem Leser einen möglichst authentischen Einblick in die auf höchster Ebene geplanten Eroberungsabsichten der deutschen Stabsführung zu geben, die vor allem dem Weizen der Ukraine, der Kohle des Donezbeckens und dem Öl von Baku galten. Neben bereits vertrauten Gestalten wie dem Schreiber Bertin, den Soldaten Pahl und Lebehde, dem Kriegsgerichtsrat Posnanski, der zur Mutter gewordenen Babka, dem General Clauss usw. wird diesmal vor allem der junge Offizier Paul Winfried in den Vordergrund gerückt, der eine ähnliche Wandlung durchmacht wie der junge Bertin in *Erziehung vor Verdun*, das heißt die deutschen Kriegslügen durchschaut und einsieht, daß es in diesem Krieg fast ausschließlich um die Macht- und Wirtschaftsinteressen der wilhelminischen Oberschicht geht. In einer Nachbemerkung wies Zweig darauf hin, daß er diesem Buch noch die Romane *Aufmarsch der Jugend* und *In eine bessere Zeit* nachzuschicken gedenke, um auch den Anfang und das Ende des Kriegs ausführlicher darstellen zu können. Die ersten Freiexemplare von *Einsetzung eines Königs* trafen am 4. Dezember 1937 auf dem Karmel ein. Die internationale Rezeption war wiederum so günstig, daß bis 1939, also bis zum Beginn des Zweiten Weltkriegs, Übersetzungen in London, New York, Prag, Moskau und Warschau erscheinen konnten.

Auch während der Arbeit an diesem Roman kamen Zweig mehrfach Zweifel, wie sinnvoll es eigentlich für ihn sei, weiter in Palästina zu bleiben. Vor allem Freud schrieb er in diesem Zeitraum mehrfach, wie *fremd* er sich in Haifa fühle. *Ich sträube mich gegen das ganze Dasein hier in Palästina*, klagte er ihm am 15. Februar 1936, *ich fühle mich falsch am Platze. Kleine Verhältnisse, noch verkleinert durch den hebräischen Nationalismus der Hebräer, die keine andere Sprache öffentlich zum Druck zulassen.*[181] Statt eine *jüdisch-arabische Zusammenarbeit* anzustreben, heißt es in einem anderen Brief an Freud, herrsche bei vielen Zionisten eine nationalistische Borniertheit, die für die Zukunft nicht viel verspreche.[182] Doch den Entschluß, Palästina tatsächlich zu verlassen, schob Zweig immer wieder hinaus. Wirklich ernsthaft trug er sich mit diesem Gedanken erstmals im Frühjahr 1937. Erst jetzt wollte er dem Karmel *endgültig den*

George Schreiber: Zweig-Porträt (1936)

Rücken kehren, wie er an Freud schrieb. *Es geht finanziell nicht mehr. Ich sitze zu weit weg von allen Gelegenheiten, zwischen zwei großen Romanen Geld zu verdienen. Wir brauchen mehr, als ich heute unter normalen Umständen verdienen kann, trotz großer Sparsamkeit, ohne Ansprüche an Auto oder viel Personal im Haus.*[183]

Demzufolge reisten er und Beatrice im Sommer 1937 abermals nach Europa, um dort die Chancen einer möglichen *Remigration* zu überprüfen.[184] Beatrice fuhr zu diesem Zweck nach Amsterdam, er nach Paris. Doch beide fühlten sich auch in diesen zwei Städten nicht wirklich zu Hause. Anschließend hielt sich Zweig kurz in Wien bei Freud auf und besuchte dann mit Beatrice für einige Tage die Feuchtwangers in Sanary-sur-Mer. Als sie wieder in Haifa eintrafen, hatten zwar beide das Gefühl, eine schöne Reise hinter sich zu haben, blickten aber der Zukunft ebenso unsicher ins Auge wie zuvor.

Was Zweig besonders bedrückte, war neben dem Boykott der *Hebräer* oder *Neomakkabäer*, wie er die palästinensischen Juden gern nannte, seine finanzielle Unsicherheit. Mit den Geldbeträgen, die er für die großen Romane erhielt, konnte er sich nicht über Wasser halten. Und auch das Journalistische, obwohl es dabei mehr zu verdienen gab, brachte nicht genügend ein. In Palästina standen ihm dafür nur die «Palestine Post» und in Europa lediglich einige linksgerichtete Exilblätter zur Verfügung, die keine besonders hohen Honorare zahlen konnten. Selbst aus den Übersetzungen seiner Romane flossen zu diesem Zeitpunkt nicht mehr so viele Einnahmen ein wie um 1933. Die höchsten Tantiemen erhielt Zweig weiterhin von Benjamin W. Huebsch, dem Besitzer der Viking Press in New York, der nach dem *Grischa* auch *De Vriendt Goes Home*, *Young Woman of 1914*, *Education before Verdun* und *Crowning of a King* herausgebracht hatte und dem es sogar gelungen war, *Education before Verdun* in den Publikationen des «Book of the Month»-Club unterzubringen. Doch anderen Büchern von Zweig, wie etwa *Pont und Anna*, verhielt sich Huebsch ablehnend gegenüber. Sogar die *Bilanz der deutschen Judenheit* interessierte ihn nicht. Dabei legte ihm Zweig gerade dieses Buch besonders nachdrücklich ans Herz, um den amerikanischen Juden endlich die Augen über die *soziologischen Zusammenhänge zwischen Antisemitismus und Kampf gegen den Sozialismus zu öffnen*[185]. Auch als ihm Zweig schrieb, daß er gern in die USA käme, um dort *Stücke aufzuführen* oder *Filme zu machen*, weil er in Palästina wegen des *antidemokratischen Lebens* unter der britischen Mandatsregierung, der andauernden Gewalttätigkeiten zwischen Juden und Arabern und des ihn beschämenden *Boykotts* von seiten der meisten Zionisten nicht *mehr lange existieren* könne, winkte Huebsch sofort ab.[186]

Aus diesem Grund setzte Zweig erst einmal von Haifa aus seine journalistische Arbeit zur Unterstützung der internationalen Protestbewegung gegen den Faschismus fort. 1937 und 1938 stand dabei vor allem der Spanienkrieg im Vordergrund. Im Hinblick auf diesen Krieg publizierte er nicht nur einen flammenden Protest gegen den Terrorangriff faschistischer Bombenflugzeuge auf die spanische Stadt Guernica, sondern übernahm in Haifa zugleich die Schirmherrschaft über eine Spanienausstellung, auf der jüdisch-palästinensische Künstler ihre Solidarität mit dem notleidenden spanischen Volk ausdrückten und auf der Zweig vor 1000 Besuchern eine vielbeachtete Rede hielt. Um sich angesichts der faschi-

Zweig mit Feuchtwanger in Sanary-sur-Mer (1937/38)

stischen Gefahr auf einen potentiellen Bündnispartner berufen zu können, pries Zweig im Jahre 1937, als die Sowjetunion ihr zwanzigjähriges Bestehen feierte, wie viele seiner linken Freunde diesen Staat als einen *Friedensfaktor ersten Ranges*[187] und erklärte emphatisch, daß *das Vorhandensein der Sowjetunion für uns selber und für die Arbeiter – die geistigen und die handwerklichen – der ganzen Welt* einen der wenigen *Zukunftsgaranten* bilde.[188]

Angesichts der Terrorakte der Nazis, vor allem in Spanien, *verschlug* es Zweig oft *den Atem*, wenn er daran dachte, wie wenig er mit seinen eigenen Arbeiten vermochte. *Ich muß mich immer wieder überreden*, schrieb er an Freud, *meine Schreiberei sei nicht sinnlos*, *weil sie nicht an die Quellen dieser Pestflut rührt*.[189] Dennoch kämpfte er weiter, ja setzte sogar sein dichterisches Werk unermüdlich fort, um nicht defätistisch zu werden und zugleich sich und den Seinen eine Existenzgrundlage zu schaffen. Nach dem Abschluß von *Einsetzung eines Königs* zögerte er allerdings, sofort mit einem der zwei weiteren Romane des *Grischa*-Zyklus zu beginnen. Statt dessen legte er 1937/38 als Intermezzo erst einmal eine leichtere Arbeit ein, indem er das Manuskript seines Romans *Edmonds gute Zeit* von 1909/10 hervorholte und unter dem Titel *Versunkene Tage* zum Druck umarbeitete. In diesem Werk geht es – mit vielen autobiographischen Rückbezügen – um die Bildungsjahre eines jungen Mannes namens Carl Steinitz, der aus Kattowitz stammt, 23 Jahre alt ist, in München Philologie studiert, sich für Musik begeistert, Gedichte und Erzählungen schreibt, die «Jugend» und den «Simplicissimus» liest, Wanderungen durch die Voralpen unternimmt und im Verlauf der Handlung schließlich zwischen zwei Frauen gerät: die kühle, abweisende Sängerin Hermine Altmeier und die aktive, sinnliche Russin Nadja Carlis. Im Vorfeld seiner Weltkriegsromane wollte Zweig damit die politische Ahnungslosigkeit der wilhelminischen Bildungsbürgerwelt herausstellen, die sich – im Sinne einer *ästhetischen Erziehung* – nur mit Kunst und Liebe beschäftigt habe.[190] Feuchtwanger, der wiederum die Korrekturen las, schrieb an Zweig in aller Offenheit, daß dieses Buch «nicht zum Wesentlichen Ihrer Produktion» gehöre.[191] Ebenso befremdet äußerten sich andere über diesen Roman.

Auch im Jahre 1938, als sich durch die Siege der Faschisten in Spanien, die sogenannte Reichskristallnacht, den Einmarsch Hitlers in Österreich, das Münchener Abkommen und die Zerschlagung der Tschechoslowakei unter vielen Antifaschisten resignative Stimmungen verbreiteten, konnte sich Zweig zu keiner größeren Arbeit aufraffen. Er diktierte zwar im März vorübergehend an *Aufmarsch der Jugend* weiter, gab aber dann dieses Projekt wieder auf. Der einzige Lichtblick dieses Jahres bestand darin, daß sich sein Augenzustand durch eine spezielle Vitamindiät, die sogenannte Gerson-Kur, leicht verbesserte.[192] *Ich kann wieder lesen*, schrieb er am 1. Mai aufatmend an Helene Weyl, *wenn auch nur bei natürlichem Licht und etwa 2 Stunden am Tag. Aber es geht wieder.*[193] Da Helene inzwischen mit ihrem Mann nach Princeton übergesiedelt war, wollte er von ihr hören, ob sich nicht auch für ihn in den USA eine Existenzgrundlage böte. *Ich könnte soviel Englisch erwerben*, erklärte er im gleichen Brief, *um dort soziologische Vorlesungen zu halten, ohne Zionismus, versteht sich.* Aber auch dieser Plan zerschlug sich wieder. Deshalb fuhren er und Beatrice im August/September lediglich nach Europa, um bei den Feuchtwangers und dem inzwischen nach London emigrierten Freud vorbeizuschauen, und kehrten dann ebenso unsicher wie im Vorjahr nach Haifa zurück. Anschließend hatte Zweig Anfang Dezember einen schweren Autounfall. Er und sein Sohn Michael wurden auf der Straße nach Tel Aviv *von einem englischen Panzerwagen gerammt*, der sie *noch 30 Meter weit vorwärtsstieß. Zum Glück kam der Junge ganz leicht davon*, erklärte er später Stefan Zweig gegenüber, *ich aber lag zweiundsiebzig Stunden bewußtlos und verbrachte fünf Wochen in einem Zustande verantwortungs-*

Zweigs Auto nach dem Unfall (1938)

losen Behagens, in einem großen Kinderbett, mit einem Metallgitter, damit ich nicht heraussstiege oder -fiele.[194]

Auf Grund dieses Unfalls fühlte sich Zweig lange Zeit viel zu schwach, um an eine größere Arbeit gehen zu können. *Ich mache nur Kleinigkeiten*, schrieb er in dieser Zeit an Freud, und *bewältige Korrespondenzschulden.*[195] Etwas Auftrieb bekam er erst wieder, als er im Februar 1939 eine Einladung zum PEN-Club-Kongreß in New York erhielt, die er sofort annahm, um sich an Ort und Stelle nach einer neuen Wirkungsstätte und neuen Verdienstmöglichkeiten umzutun. *Keineswegs reich genug zu einer Freudenreise*, wie es wenige Tage später in einem Brief an Helene Weyl heißt, *will ich vielmehr sehen, ob wir und wo wir in den USA bleiben können, einwandern, um dem neuen Krieg zu entgehen.*[196] Dementsprechend schiffte sich Zweig am 3. April mit seinem Sohn Michael in Haifa auf der «Excalibur» nach Boston ein. Unterwegs erklärte ihm Michael, daß er in den USA bleiben wolle, um sich an einer *kalifornischen Fliegerschule* als

Pilot ausbilden zu lassen[197], womit er seinem Vater weitere Geldsorgen aufbürdete.

In den USA besuchte Zweig nicht nur den PEN-Kongreß, sondern nahm auch am 11. Mai an einem Empfang im Weißen Haus teil, stattete den Weyls in Princeton einen Besuch ab und führte mit Thomas Mann, Ernst Toller und Albert Einstein lange Gespräche über die politische Lage. Außerdem versuchte er Kontakte zu amerikanischen Verlegern herzustellen, um sich weitere Einkommensquellen zu erschließen. Doch in diesem Punkt gelang es ihm lediglich, vom Verlag Whittlesey House

Auf dem PEN-Kongreß in New York (1939)

Mit Sigmund Freud

einen Vorschuß von 500 Dollar für ein Buch über die Entstehung des deutschen Faschismus zu erhalten. Am 14. Juni verließ Zweig die USA wieder. Sechs Tage später kam er in Bristol an und besuchte anschließend den bereits todkranken Freud in Hampstead, der ihm sein gerade bei Allert de Lange in Amsterdam erschienenes Buch «Der Mann Moses und die monotheistische Religion» in die Hand drückte, zu dem ihn Zweig – wegen der darin enthaltenen antizionistischen Ansichten – immer wieder gedrängt hatte. Nach Gesprächen mit Autoren wie Alfred Kerr und Herbert George Wells in London und einem Abstecher zu den Feuchtwangers in Sanary-sur-Mer kehrte er am 1. August nach Haifa zurück.

Vier Wochen später, am 1. September 1939, begann Hitler mit dem Überfall auf Polen den Zweiten Weltkrieg. Die Stimmung in Palästina nahm daraufhin einen geradezu panikartigen Charakter an. Doch Zweig bewahrte auch in dieser Situation seine immer wieder erkämpfte *Gelassenheit*, ja selbst seinen *Optimismus*. So schrieb er etwa am 20. Dezember 1939 an Jürgen Kuczinsky: *Ich sehe die Dinge sehr zuversichtlich. Deutschland kann eine wirkliche Demokratie aus diesem Kriege davontra-*

gen, wenn es gelingt, der Welt einsichtig zu machen, daß es immer wieder dieselbe herrschende Klasse ist, die sich bald der Hohenzollern und bald der Nazis bedient, um an der Herrschaft zu bleiben.[198] Allerdings war sich Zweig zu diesem Zeitpunkt noch völlig unklar darüber, wie er sich und seine Familie bis zum Sieg der Demokraten über die Faschisten finanziell über Wasser halten sollte. Die Einnahmen aus der journalistischen Tätigkeit hörten nach dem August 1939 weitgehend auf, da die meisten deutschsprachigen Exilzeitschriften zu diesem Zeitpunkt ihr Erscheinen einstellen mußten. Auch an weitere Romanerfolge war unter den veränderten Umständen kaum zu denken. Daher faßte Zweig vorübergehend den Plan ins Auge, einige seiner unveröffentlichten Werke und Fragmente, also *Bonaparte in Jaffa*, *Männer unter sich*, *Aufmarsch der Jugend*, *Das Leben des Spinoza*, *Anpassung an Palästina* sowie Aufsätze zur Judenfrage, einem immer noch bestehenden Interessentenkreis wenigstens per *Subskription* zugehen zu lassen.[199] Doch dieser Plan ließ sich nicht durchführen, wie sich bald herausstellte.

Auf Grund dieser Situation machte sich Zweig 1940 – neben ersten Notizen zu einem *Henkerroman*[200], aus dem später *Das Beil von Wandsbek* werden sollte – erst einmal an das versprochene Buch über die Entstehung des Faschismus, das ihm noch am ehesten erfolgverheißend erschien. Er nannte dieses Werk, das bis heute nicht publiziert ist, abwechselnd *Die Alpen oder Europa*, *Dialektik der Alpen* oder einfach *Alpenbuch*. In ihm versuchte er auf eine höchst anspruchsvolle, aber zugleich bizarr-überspannte Weise, den Prozeß *der menschheitlichen Vergesellschaftung* von der Steinzeit bis zur Gegenwart an jenem Stück *Erdkruste* darzustellen, wo der *Homo alpinus* zu Hause sei, der trotz aller Zivilisierungsversuche immer wieder *zu Rückfällen in die Steinzeit* neige. Einer dieser *Rückfälle* sei, wie wir erfahren, jener *Dämon*, jener *Gnom*, jener *Hysteriker Hitler*, der als *Verkörperung des Destruktionstriebes, der in der Seele jedes Menschen hause*, wie Freud gezeigt habe, an die breiten Massen appelliere, das Joch der *Zivilisation* einfach abzuwerfen und wieder zur Barbarei zurückzukehren.[201] *Dieser Gnom entblößt uns*, heißt es an einer Stelle, *und seine verzerrte Fratze offenbart uns den Untergrund, auf dem wir alle leben, in seiner schauerlichen, rohen Zeitverlassenheit, in seiner wollüstigen, steten Bereitschaft zum Rückfall.*[202] Und Zweig fuhr fort: *Der sich überschlagende Haß und die Wildheit, die dabei zum Ausdruck kommen, haben jenes Fortreißende und Elementarische an sich, jenes Ansteckende, das Ausbrüchen eines solchen Irreseins* nun einmal *anhaftet.*[203] In solchen Partien folgte Zweig weitgehend Freudschen Gedankengängen sowie der von ihm selbst in seinem *Caliban* entwickelten Affektenlehre. Doch daneben brachte er auch eine Fülle politischer, ökonomischer und soziologischer Faktoren ins Spiel, die eine erstaunliche Vertrautheit mit den materiellen Grundlagen der von ihm beschriebenen psychologischen Manifestationen und kulturellen Überbauphänomene

Nummer 179 | Dienstag, 1. August 1933 | 81. Jahrgang

Vierfache Hinrichtung in Altona

Das Urteil gegen die Verurteilten des Blutsonntag-Prozesses heute morgen vollstreckt

August Lütgens — Walter Möller — Karl Wolff — Bruno Tesch

Schlagzeile der «Altonaer Nachrichten» (1. August 1933)

verraten. So zeigte er etwa höchst eindringlich, daß der erwähnte *Destruktionstrieb* keineswegs willkürlich sei, sondern sich vornehmlich gegen *Juden und Marxisten* wende – wie überhaupt vielen der nazistischen Theorien und Propagandamanöver die gleichen ökonomischen Ziele und Eroberungsabsichten zugrunde lägen, die im Ersten Weltkrieg bereits die *Alldeutschen* vertreten hätten.[204]

Mit diesem Manuskript, dessen Nachwort den Datumsvermerk *21. Dezember 1941* trägt, hatte Zweig jedoch kein Glück. Er hörte zwar von Feuchtwanger, der in letzter Minute von Frankreich nach New York entkommen war, daß das *Alpenbuch* bereits angezeigt sei und die Übersetzung «gute Fortschritte» mache[205], aber dann blieben weitere Nachrichten aus. Da sich in den USA das politische Interesse im Dezember 1941, nach dem Überfall auf Pearl Harbor, eindeutig von Deutschland auf Japan verlagerte, blieb die Übersetzung offenbar liegen. Ein Jahr später schickte ihm der Verlag das Manuskript unter der fadenscheinigen Begründung zurück, daß sich Zweig nicht an die vorher vereinbarte «Synopsis» gehalten habe und man daher von seiten der Redaktion keinen Anlaß sähe, weitere Gelder und Mühen in dieses Projekt zu investieren.[206]

Doch inzwischen hatte sich Zweig längst seinem zweiten Großprojekt dieser Jahre, dem Roman *Das Beil von Wandsbek* zugewandt, dessen Diktat sich allerdings länger als erwartet hinauszog, da er sich zu diesem Zeitpunkt nicht mehr auf Lily Leuchter stützen konnte, die mittlerweile zwei Töchter bekommen und daher vollauf mit ihrer Familie zu tun hatte.

Die ersten Notizen zu diesem Roman setzen relativ früh ein, und zwar nachdem Zweig 1938 in der «Deutschen Volkszeitung» auf eine Meldung unter dem Titel «Selbstmord eines Henkers» gestoßen war, in der von einem Hamburger Schlächtermeister die Rede ist, der als Ersatzhenker im Gefängnis Fuhlsbüttel vier zum Tode verurteilte Kommunisten mit dem Beil hingerichtet und sich später aus Reue über diese Tat das Leben genommen habe. Kurz darauf schickte Zweig diese Zeitungsnotiz an Freud und schrieb ihm: *Hier sehe ich einen Grischatyp, aus dem, Schicht um Schicht abstoßend, der alte Deutsche herauskeimt und durchbricht. Und besonders seine Frau, eine Evangelische, die innerlich zustimmt... Es wäre ein wirklicher Roman, – und er müßte den im Nazismus begrabenen*

Fotomontage von John Heartfield (1934)

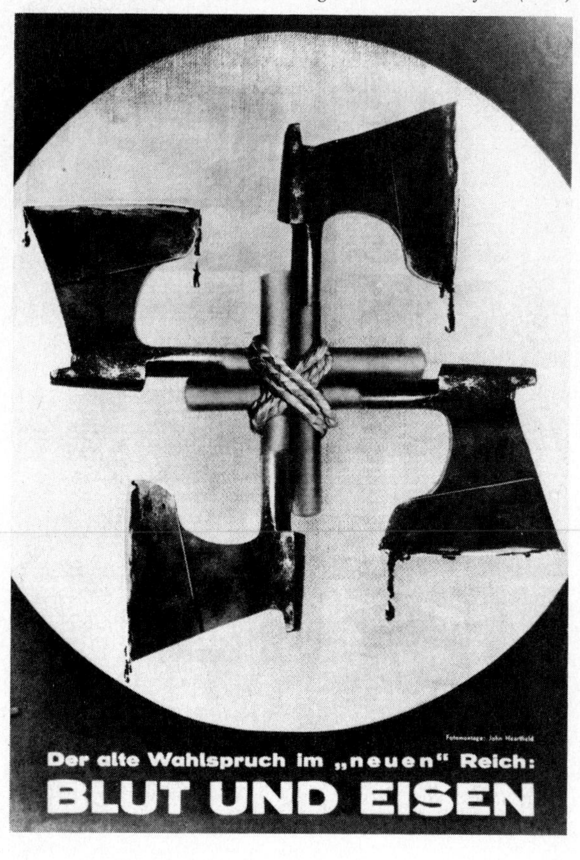

Arthur Kaufmanns Triptychon «Die geistige Emigration» (1938–40). Zweig im Mittelteil am linken Bildrand zwischen Heinrich Mann und Albert Einstein

Menschen darstellen, der so oft vergessen und übersehen wird. Der geschändete Deutsche ist ja nicht bloß im KZ-Lager, sondern auch in seinen Henkern.[207]

Darauf entwarf Zweig, wohl im Jahre 1939, folgenden Fabelverlauf: *1937/38. Die Welle des Faschismus und seines Erfolges gipfelt. In Hamburg 4 Verurteilte, deren Hinrichtung sich verzögert wegen des Henkers. Da ist ein Schlächtermeister, SS-Mann, alter Etappensoldat des vorigen Krieges, der Gefreite Albert Teetjen. Es geht ihm schlecht, die Warenhäuser auf der einen Seite, der sinkende Verdienst der Masse auf der anderen haben das Geschäft ruiniert, das er von seinem Vater übernommen hat. Ein durchschnittlicher Deutscher, Kleinbürger der Kriegs- und Nachkriegsgeneration, nicht böser und nicht besser. Seine Frau Stine rät ihm, an seinen alten Unteroffizier Footh zu schreiben, der jetzt ein kleiner Reeder ist, 3 Tankschiffe besitzt und im NSKK* (Nationalsozialistisches Kraftfahrerkorps) *Gruppenführer. Der verschafft ihm den Job, das Urteil an den Vie-*

ren zu vollstrecken – und Teetjen tut es. Er glaubt an Adolf Hitler und seine Sendung, das Vaterland groß zu machen. Und er will nicht zu den Arbeitern gehören, ist stolz auf seine Selbständigkeit, will nicht in der Masse versinken... Zuerst geht auch alles gut, Albert wird geehrt, dem Führer vorgestellt, als der Hamburg besucht, um die Elbhochbrücke zu starten, die Hamburg verschönen soll. Aber dann hört es auf, gut zu gehen. Obwohl Teetjen in einer Maske gearbeitet hat, spricht es sich doch herum, daß er Menschen geköpft hat, und die Leute meiden sein Geschäft, da man doch nicht weiß, ob er nicht mit seinem Schlächterbeil gearbeitet hat.[208]

Um diesen Handlungskern, dem wie im *Grischa* und in *Erziehung vor Verdun* abermals ein Justizskandal zugrunde liegt, gruppierte Zweig eine Fülle weiterer Erzählstränge, mit denen er ein möglichst vielschichtiges Bild des deutschen Faschismus zu entwerfen hoffte. Wie seine Romane über den Ersten Weltkrieg bietet demzufolge *Das Beil von Wandsbek* einen wohldifferenzierten Querschnitt durch alle Gesellschaftsschichten, diesmal von den Spitzen des hanseatischen Großbürgertums über die Verwaltungsbeamten, Bildungsträger und Gewerbetreibenden bis zu den Kleinbürgern und Arbeitern. Um die fortschreitende Faschisierung und zugleich den wachsenden Widerstand bestimmter Gruppen der mittleren und unteren Gesellschaftsschichten gegen den Terror des NS-Regimes darzustellen, bediente sich Zweig nicht nur materialistisch-ökonomischer und ideologiekritischer Erklärungsmodelle, sondern wandte auch jene individualpsychologischen und gruppenspezifischen Erkenntnisse an, die er dem intensiven Studium der Schriften Freuds verdankte. Dafür spricht vor allem seine Interpretation Adolf Hitlers, den er mit jenem neurotisch gestörten Dr. Daniel Paul Schreber vergleicht, auf dessen «Denkwürdigkeiten eines Nervenkranken» (1903) Zweig durch eine Studie Freuds aus dem Jahre 1910 aufmerksam geworden war. Auf diese Weise kommt in *Das Beil von Wandsbek* auch jener *hysterische* Aspekt des nationalsozialistischen Wahnsystems zur Sprache, der bereits in Zweigs *Bilanz der deutschen Judenheit* und seinem *Alpenbuch* eine nicht zu unterschätzende Rolle spielt. Und im Rahmen dieses Syndroms haben auch die vielen literarischen Anspielungen ihren Platz, unter denen vor allem die «Faust»-Parallelen ins Auge stechen.[209]

Ebenso bemerkenswert ist die äußerst prägnante Anschaulichkeit dieses Buchs, zu der ihn zwar der aus Hamburg stammende Rechtsanwalt Herbert Pardo, der ebenfalls vor den Nazis in Haifa Zuflucht gefunden hatte, mit den erforderlichen Details versah, die aber dennoch – bei einem weitgehend erblindeten und zudem seit acht Jahren aus Deutschland vertriebenen Autor – immer aufs Neue frappiert. Dieser Roman unterstreicht noch einmal den hohen Rang des «Realisten» Zweig, der mit *Das Beil von Wandsbek* durch die soziale Typisierung wie auch psychologische Glaubwürdigkeit der einzelnen Gestalten, die dramatische Zuspitzung der Handlung und die materialistische Grundierung des politischen Geschehens nicht nur die überzeugendste Darstellung des deutschen Faschismus im Exilroman schuf, an die auch ähnlich intendierte Romane von Feuchtwanger oder Irmgard Keun nicht ganz heranreichen, sondern zugleich eines der folgenreichsten Vorbilder für jenen Wandlungsroman bot, der in den vierziger und fünfziger Jahren zu einer Grundform der sozialistischen und bürgerlich-antifaschistischen Literatur werden sollte. Und zwar stellte Zweig diese Wandlung in *Das Beil von Wandsbek* vor allem an den Figuren des Zuchthausdirektors Koldewey und der Ärztin Käte Neumeier dar, die sich – wie sein Bertin in *Erziehung vor Verdun* – erst nach langen Mühen aus ihrer Befangenheit in konservativen Ideologiegespinsten befreien und damit zu einer Widerstandshaltung gegen den Faschismus durchringen können.

Das Diktat dieses Romans erfolgte – in drei Fassungen – zwischen dem 24. Oktober 1941 und dem 28. Juli 1943. Die erste Fassung wurde im Laufe der Jahre 1942 und 1943 – als einziges von Zweigs größeren Werken – von

Avigdor Hameiri ins Hebräische übersetzt und Ende 1943 von einem prononciert linken Verlag unter dem Titel *Haquardōm sel Wandsbēq* in Tel Aviv herausgebracht. Da nach der Zwangsliquidierung des Amsterdamer Querido-Verlags durch die NS-Besatzungstruppen an eine deutschsprachige Ausgabe dieses Buchs vorerst nicht zu denken war, ließ Zweig nach Abschluß des Diktats sofort mehrere Kopien des Manuskripts anfertigen und verschickte sie – in der Hoffnung auf möglichst baldige Übersetzung ins Englische und Russische – an Robert Neumann in London, an Feuchtwanger in Los Angeles und an Abranowna Arian in Moskau. Während die Sendung in die Sowjetunion offenbar verlorenging, setzten sich Neumann und Feuchtwanger sofort für den Roman ein. Doch auch in England und in den USA dauerte es noch eine Weile, bis er unter dem Titel *The Axe of Wandsbek* erscheinen konnte, zumal Zweig ständig neue Korrekturen am Manuskript vornahm. Die deutsche Erstausgabe von *Das Beil von Wandsbek* kam dagegen erst 1947 beim Neuen Verlag in Stockholm heraus. In ihr bedankte sich Zweig in einer *Nachbemerkung* nachdrücklich für die *hingebende Freundschaft und tätige Hilfe Robert Neumanns* in England, der das Manuskript an den Hutchinson-Verlag empfohlen hatte, *und Lion Feuchtwangers und Bertolt Brechts in Kalifornien*, deren *Kameradschaft und Solidarität* beweise, *daß kein noch so zerstörerischer Weltkrieg die Basis gemeinsam verbrachter und durchkämpfter Jahrzehnte anstasten konnte*.

Doch wie war es Zweig und seiner Familie überhaupt möglich, all diese Jahre, die er für die Niederschrift des *Alpenbuchs* und von *Das Beil von Wandsbek* benötigte, ohne dafür irgendeinen Vorschuß zu erhalten, in Haifa finanziell zu überstehen? Daß er sich einschränken, ja sich sogar zum Verkauf seines *Flügels*, seines *Autos* und *vieler fast ungelesener Bücher* sowie zum Umzug in eine billigere Wohnung im Haus des libanesischen Arabers Tuffic Rino *entschließen mußte*[210], fiel ihm nicht schwer. Daß er dagegen von seinem Freund Feuchtwanger Geldgeschenke annehmen mußte, der auch seinem Sohn Michael in Los Angeles immer wieder einige Dollar zusteckte und sich obendrein wochenlang einer orthographischen Überprüfung des Manuskripts von *Das Beil von Wandsbek* widmete, fiel ihm schon schwerer. Außerdem erhielt er ab 1941 aus einem Fonds russischer Verleger, der für namhafte, durch die Nazis in Not geratene Schriftsteller angelegt worden war, vierteljährlich 300 Rubel. Aber auch Zweig selbst ließ nichts unversucht, um sich Einnahmen zu verschaffen, indem er weiterhin journalistisch für die «Palestine Post» arbeitete und zugleich zahlreiche Vorträge bei höchst verschiedenartigen Veranstaltungen in Haifa, Tel Aviv oder Jerusalem hielt, in denen er sich zu bedeutenden Vertretern des Exils wie Albert Einstein, Thomas Mann und Max Eitingon bekannte oder seine eigene Rolle als *Dichter in Zeiten der Krisen* thematisierte. Eine besondere Freude bereitete ihm der fünfteilige Zyklus *Die Kunst der Erzählung*, den er in Tel Aviv einem Inter-

Dr. Max Eitingon (um 1938/39)

essentenkreis vortrug, den Dr. Arnold Czempin, ein früherer Schauspieler der Berliner «Mausefalle», in sein eigenes Haus geladen hatte und wo sich Zweig so illustren Gästen wie Leo Kestenberg, Paul Landau wie auch anderen Vertretern *des besten Berliner-W-Publikums* gegenübersah, das *noch fest in unserem alten Kulturkreis* verankert ist, wie er voller Stolz an Feuchtwanger schrieb.[211]

Fast noch wichtiger als solche kulturellen Veranstaltungen wurden Zweig im Laufe des Jahres 1941 jene politischen Versammlungen, die einen spezifisch antifaschistischen Charakter hatten. Schließlich überrollten die Nazitruppen im Laufe dieses Jahres den gesamten Balkan, eroberten Griechenland, stießen fast bis zum Suez-Kanal vor und landeten mit Fallschirmjägern auf Kreta, wodurch unter den palästinensischen Juden die Angst, ebenfalls von den Nazis überfallen und umgebracht zu werden, immer größer wurde. Die dadurch ausgelöste Panik ebbte erst im Juni 1941 wieder ab, als sich Hitler entschloß, die Sowjetunion zu überfallen und die Mittelmeeroffensive vorerst abzubrechen. Diese Vorgänge führten unter den Juden Palästinas zu einer verstärkten politischen Polarisierung. Während die westeuropäisch orientierten Antifaschisten sowie einige der Arbeiterorganisationen nach diesem Zeitpunkt zusehends mit der Sowjetunion sympathisierten, in der sie den Hauptgaranten einer Niederringung des deutschen Faschismus sahen, blieben die aus dem osteuropäischen Raum stammenden Juden, die auf Grund der zaristischen Pogrome noch immer eine tiefsitzende Angst vor den Russen hatten und zugleich den Kommunismus aus religiösen Gründen ablehnten, weiterhin bei ihren scharfen Vorurteilen gegenüber der Sowjetunion sowie aller sie unterstützenden Aktivitäten.

Arnold Zweig schloß sich im Verlauf dieser Entwicklung, wie zu erwarten, jener Gruppe an, mit der er 1938 – nach dem Terrorangriff der «Legion Condor» auf die Stadt Guernica – in Haifa bereits *eine antifaschistische Ausstellung für das kämpfende Spanien veranstaltet hatte*[212]. Mit Unterstützung dieser Gruppe beteiligte er sich im November 1941 an der Gründung der «Liga V (Victory)» *zur Hilfeleistung für die Rote Armee*, deren erster Aufruf nicht nur von Linken, sondern auch von dem Psychoanalytiker Max Eitingon, Hanna Rivina von der «Habimah» sowie liberalen Zionisten wie Max Brod und Martin Buber unterschrieben wurde.[213] Zweig beteuerte in diesem Zusammenhang ausdrücklich, daß es *nicht seine Absicht* sei, *Politik zu machen*, sondern daß er durch die *Hilfe für die Sowjetunion* lediglich *den Endkampf um die Freiheit in der Welt* in einem *antifaschistischen Sinne* unterstützen wolle.[214] Die «Liga V» setzte solche hochtönenden Worte auch in die entsprechenden Taten um, indem sie einen Ambulanzzug mit Medikamenten über Teheran an die russische Grenze fahren ließ und ihn dort den Vertretern der Roten Armee übergab.

Um solchen Aktivitäten auch ein publizistisches Forum zu geben, unterstützte Zweig im März 1942 die Gründung einer Zeitschrift, die den Titel *Orient. Unabhängige Wochenschrift für Zeitfragen, Kultur, Wirtschaft* führte und sich in Format und Aufmachung deutlich an die ältere «Weltbühne» anlehnte. Als verantwortlicher Herausgeber des *Orient* fungierte Wolfgang Yourgrau, der den gleichen linksliberalen sowie im deutschen Sinne kulturbewußten Kurs vertrat wie Zweig. Das erste Heft dieser Zeitschrift erschien am 10. April 1942 und wurde von 300 bis 400 deutsch-jüdischen Familien abonniert. Weitere 1000 bis 2000 Exemplare konnten in Läden oder an Zeitungsständen abgesetzt werden. Inhaltlich vertrat der *Orient* einen gewerkschaftlich-linksliberalen Kurs, der sich weitgehend mit den Forderungen der «Liga V» deckte und sich scharf gegen rechtsradikale Äußerungen wie «Sprich hebräisch – oder stirb!» wandte.[215] Ebenso antichauvinistisch verhielt sich dieses Blatt in Fragen der deutschen Schuld. Statt sich im Gefolge des englischen Außenministers Robert Vansittart der Kollektivschuldthese anzuschließen, unterschied Zweig im *Orient* stets zwischen *Deutschen und Nazis* und setzte sich dafür ein, Deutschland nach dem Krieg die Chance einer *politischen*

IV. Jahrg. Nr. 6-7-8 — 7. April 1943

Independent Weekly

ORIENT

Unabhängige Wochenschrift

ZEITFRAGEN
KULTUR
WIRTSCHAFT

12 Piaster — ORIENT — II 6-7-8

Wolfgang Yourgrau . . . Nach einer Bombe...
Arnold Zweig . . . . Stefan Zweig

הננו!

NEU ERSCHIENEN!

Kathinka Küster . . . . Erziehung zum Sterben
Franz Goldstein . . . . Offenbacchanal
[illegible] Gabriel . . . . Der totalitaere Bazillus
Sally Grosshut . . . . LANDSKNECHTE

Beitraege von: M. Vogel, Znil, A. Krzewina, H. Sahl, J. Pesch...

Titelseite der letzten hektographierten Ausgabe des «Orient» nach dem Bombenattentat (7. April 1943)

Umkehr zu geben, statt es von vornherein in Bausch und Bogen zu verdammen. *Aber wenn dann Deutschland weit nach links ausschlägt*, fragte er 1942 seine politischen Gegner, *werdet ihr es lassen*; *oder werdet ihr etwa unter der Flagge des «Antigermanismus» einem linken Deutschland*, *sagen wir selbst einem kommunistischen, in die Arme fallen, wenn es mit seiner Henkerkaste abrechnet – jener Henkerkaste und bürgerlichen Menge, die ihr, weil ihr sie allein kanntet, immer für das deutsche Volk nahmt?*[216]

Wegen solcher Tendenzen wurde der *Orient* durch chauvinistisch-zionistische Kreise von Anfang an nicht nur boykottiert, sondern in vielen Veröffentlichungen scharf angegriffen und sogar durch nachhaltigen Druck auf die ihn herstellenden Firmen sowie nächtliches Inbrandsetzen der ihn anbietenden Zeitungsstände am Erscheinen verhindert. Darum mußten Zweig und Yourgrau 1942 und 1943 viermal die Druckerei wechseln und konnten manche Hefte nur in hektographierter Form herausbringen. Zu tätlichen Auseinandersetzungen zwischen den Linksliberalen und den Vertretern des «Betar», der offiziellen Jugendgruppe der sogenannten Revisionisten, einer Partei auf dem rechtsradikalen Flügel der zionistischen Bewegung, kam es vor allem am 30. Mai 1942 anläßlich einer Veranstaltung der «Liga V» im Esther-Kino in Tel Aviv, auf der Zweig eine Rede hielt, in der er sich für die möglichst baldige Errichtung einer «Zweiten Front» in Westeuropa einsetzte, um so die Rote Armee in ihrem aufreibenden Kampf gegen die Hitler-Armeen zu entlasten. Mitten in seiner Rede drangen bei dieser Gelegenheit die *Rollkommandos* der *jüdischen Nazis*, nachdem sie *mit Mauersteinen und Brechstangen die Türen eingeschlagen hatten*, wie Zweig schrieb, einfach *in den Saal ein*, *zerfetzten die hebräischen*, *antifaschistischen Plakate und Spruchbänder* und stießen ihn von der Rednerbühne in den Saal hinunter, und zwar hauptsächlich, weil er sich erdreistet habe, *zu deutschen Juden deutsch zu sprechen.*[217]

Doch Zweig ließ sich selbst durch solche Aktionen, für welche die *Versammlungsstürmer* vom *Stadtrat von Tel Aviv mit einer religiösen Dankesformel belobigt* werden sollten, wie er in einem Brief an Feuchtwanger erklärte[218], nicht den Mut nehmen, auch weiterhin auf Versammlungen der «Liga V» öffentliche Reden zu halten, an denen im August/September 1942 erstmals auch Delegierte aus der Sowjetunion teilnahmen. Die Vertreter der UdSSR dankten ihm für seinen tatkräftigen Einsatz mit der Übersendung der Schriften von Marx und Engels, *der beiden Dioskuren des Marxismus*, die er sich in den folgenden Monaten während seiner *Arbeitspausen vorlesen ließ.*[219] *Durch die Liga*, schrieb er an Feuchtwanger, *die ich gegen den Widerstand der Nationalisten durchgesetzt habe*, *ist mein Kontakt mit Moskau, besonders zu Becher, Bredel und Wolf, recht eng geworden.*[220] Daß sich Zweig dadurch bei den Rechten immer unbeliebter machte, konnte nicht ausbleiben. Einer der schlagkräftigsten Beweise dafür ist, daß die «Haganah», die illegale Miliz der Zionisten, die Druckerei Lychenheim, in welcher der *Orient* gesetzt und gedruckt wurde, am 2. Februar 1943 durch ein Bombenattentat weitgehend zerstörte. Zweig und Yourgrau stellten daraufhin, um weitere solcher Konfrontationen zu vermeiden, das Erscheinen des *Orient* ein. «Hätten wir

Haus Tuffic Rino in Haifa

trotzdem weitergemacht, so hätte man sicherlich Arnold und mich ‹umgelegt›», schrieb Yourgrau später an F. C. Weiskopf.[221]

Trotz dieser Niederlage ließen Zweig und die mit ihm Sympathisierenden in diesem Zeitraum keineswegs davon ab, sich weiterhin im Sinne der «Liga V» zu betätigen. Im Dezember 1942 gründeten sie die «Levant Publishing Company», kurz «Lepac» genannt, die sich die Verbreitung antifaschistischer Literatur, besonders aus der Sowjetunion, zur Aufgabe machte. Im Februar 1943 veranstalteten sie einen «Tag der Roten Armee». Außerdem riefen sie verschiedene linksgerichtete Buchklubs ins Leben, unter denen vor allem der «Jerusalem Book Club», den Louis Fürnberg und Wolfgang Ehrlich leiteten, eine wichtige Rolle spielte. Parallel dazu bildete sich im Jahre 1943 auch in Palästina ein Nationalkomitee «Freies Deutschland», dessen Ehrenpräsidium Zweig übernahm und dessen Mitglieder bereits jenen Zeitpunkt ins Auge faßten, wo es *Einzelnen oder ganzen Gruppen von Juden*, die sich von der *aggressiven zionistischen Siedlungs-Ideologie* abgestoßen fühlten, wieder möglich sein werde, *nach Mitteleuropa zurückzukehren*.[222] In den gleichen Zusammenhang gehört die hebräische Ausgabe von *Das Beil von Wandsbek*, die im Dezember 1943 bei der Worker's Book Guild erschien. *Sie hatte einen durchschlagenden Erfolg*, schrieb Zweig etwas überoptimistisch an Feuchtwanger, *und zertrümmerte die Mauer von Animosität, die ein Teil der Nationalisten in all den Jahren um mich errichtet hatte, – wozu natürlich die Siege der antifaschistischen Fronten und besonders Rußlands ihr gutes Teil beitrugen*.[223] Auch das im Jahre 1944 gegründete Informationsbulletin «Chug», dessen Redaktion Arnold Czempin übernahm und an dem neben Zweig auch Lea Grundig, Ernst Loewy und Louis Fürnberg mitarbeiteten, trug zu einer weiteren Stärkung dieses Kurses bei.

Daß Zweig wegen dieser politischen Aktivitäten sowie seiner häufigen Vortragsreisen kaum zum Schriftstellern kam, ist verständlich. Dennoch ließ er sich auch davon nicht abbringen. Immer wieder nahm er sich Teile der noch zu schreibenden Anfangs- und Schlußromane seines *Grischa*-Zyklus vor und arbeitete 1943 und 1944 außerdem seine Erzählung *Die Bestie* in einen kleinen Antikriegsroman unter dem Titel *Der Wendepunkt* um. Als ihn am 21. Juli 1944 Anna Freud brieflich aufforderte, doch eine Biographie ihres Vaters zu schreiben, dem er so nahe gestanden habe, sagte Zweig zwar umgehend zu, führte jedoch diesen Plan nicht sofort aus und fand auch später, trotz erneuter Ansätze in den Jahren 1947, 1948 und 1962, keine ihn völlig befriedigende Form für ein solches Projekt. Zweig gab diesem Manuskript, in dem wir weit mehr über ihn selbst als über Freud erfahren, den Titel *Freundschaft mit Freud*, um im Leser nicht die Erwartung zu wecken, daß es sich um eine Biographie oder gar eine wissenschaftliche Studie über den Gründer der Psychoanalyse handele. Ebenso skizzenhaft blieben die meisten seiner in diesen Jahren neu konzipierten Erzählprojekte. Das gilt vor allem für den Jesus-Roman *Wess' Reich komme* sowie einen weiteren *Carl-Steinitz-Roman*, in dem er sich mit den *Illusionen* eines *Intellektuellen* beschäftigen wollte, *der gehofft hatte, in Palästina eine neue gewaltlose Heimat, gedeckt von der britischen Flagge, zu finden*, seine Hoffnungen *stückweise drangeben muß* und am Schluß *vor der Wirklichkeit kapituliert*.[224]

Etwas weiter gedieh lediglich der Roman *Traum ist teuer*, dessen ersten Fabelentwurf Zweig am 22. März 1945 niederschrieb und von dem er in den folgenden Jahren drei Fassungen diktierte. In der ersten Version ging es – in Anlehnung an den Carl-Steinitz-Roman – fast ausschließlich um das Schicksal eines österreichisch-jüdischen Nervenarztes namens Richard Karthaus, der sich von Frau und Kindern trennt, sein Glück bei einer wesentlich jüngeren Sekretärin zu finden versucht und nach der Machtübergabe an die Nazis nach Palästina geht, um dort für die britischen Mandatsbehörden zu arbeiten. Danach führte Zweig in die Handlung noch die Figur des griechischen Sergeanten George Kephalides, eines antifaschistischen Partisanenkämpfers, ein, wodurch das Psychologische immer stärker von den politischen Ereignissen überlagert wurde. Letztlich sollte dieses Buch eine selbstkritische Abrechnung mit einem typischen Vertreter des bürgerlichen Liberalismus werden, der auf Grund seiner Vorliebe für «Mittleres» keine klaren Entscheidungen zu treffen vermag, weder in der Liebe noch in der Politik, sondern – im Sinne des eigenen Wohlergehens – stets eine Stellung zwischen allen Stühlen einzunehmen versucht.

Selbst seine Dramenpläne gab Zweig in diesen Jahren nicht völlig auf. Darum war er froh, als eine Gruppe von Schauspielern, unter denen sich Walter Jacob und Sidney Maras befanden, sein Stück *Bonaparte in Jaffa* am 6. März 1945 erstmals in Haifa aufführte, ja Arnold Czempin, Stella Kadmon, Kurt Guttmann, Walter Grab und andere dieses Stück am 16. August des gleichen Jahres auch in Tel Aviv *mit verteilten Rollen in einer öffentlichen Vorlesung* zu Gehör brachten.[225] Im folgenden Jahr ging Zweig sogar daran, ein neues Drama zu schreiben, dem er den Titel *Austreibung 1744 oder Das Weihnachtswunder* gab. In ihm geht es um die vorübergehende Zwangsausweisung der Prager Juden durch Maria Theresia, welche Zweig – wie die Liquidierung der Türken in *Bonaparte in Jaffa* – durch deutliche Zeitbezüge zu aktualisieren versuchte. Nach Beginn des Kalten Kriegs stattete er dieses Stück noch mit einer weiteren politischen Pointe aus, indem er die junge Komtesse Martres Kolowrat, die mit ihrem Mann – dem jüdischen Arzt Emanuel Taussig – nach Amerika segelt, zum Schluß mit beklommener Stimme fragen läßt: *Fühlst Du, Geliebter, wie kalt es uns entgegenweht?*[226]

Aber damit greifen wir bereits voraus. Wichtiger als alle diese Ereignisse war zweifellos der 8. Mai 1945, an dem das NS-Regime endlich vor den siegreichen Alliierten kapitulierte und sich die politische Lage – auch im Blick auf die Exilsituation und eine mögliche Remigration – schlagartig veränderte. Daß Zweig in diesem Zeitraum so wenig schrieb, hängt sicher mit seinen ständigen Überlegungen zusammen, wohin er jetzt mit seiner Familie gehen sollte. Schließlich war ihm Palästina in all den Jahren keine wirkliche Heimat geworden. Nicht nur der Boykott von seiten der rechtsstehenden Zionisten vergällte ihm das Leben in diesem Land; auch der Tod oder der Wegzug so mancher ihm nahestehender Menschen stimmte ihn traurig. So gingen die Fürnbergs, mit denen er sich 1942 und 1943 recht eng angefreundet hatte, 1946 in die Tschechoslowakei zurück. Im gleichen Jahr begann sein Sohn Adam in Zürich Medizin zu studieren. Dazu kamen die militärischen Auseinandersetzungen im Land, die 1947 durch die von den Vereinten Nationen empfohlene Teilung Palästinas ausgelöst wurden und Zweigs Hoffnung auf ein friedliches Zusammenleben von Juden und Arabern endgültig zunichte machten. Im Zuge dieser

In Haifa (1946)

«Der Fabelgreis von 60 Jahren, Sichron, den 11. November 1947»

Entwicklungen erhielten er und Beatrice im Februar 1947 von den britischen Mandatsbehörden die Anweisung, ihre Wohnung im Haus des libanesischen Arabers Tuffic Rino aufzugeben und in die German Colony, einen deutsch-christlichen Stadtteil Haifas, umzuziehen.

Daß Zweig bei seinen Rückwanderungsplänen anfangs mehrere Länder ins Auge faßte, belegt vor allem sein Brief vom 27. November 1946 an Ludwig Marcuse, wo es unter anderem heißt: *Aus Prag wie aus Paris rufen Freundesgruppen, nach Berlin zieht mich mein Haus Kühler Weg 9, nach der Schweiz mein Sohn Adam, nach England die Steuerreduktion, die damit verbunden wäre.*[227] Zur gleichen Zeit bemühte sich Feuchtwanger, Zweig ein Affadavit für die USA zu verschaffen.[228] Daß er sich schließlich für die Sowjetische Besatzungszone entschied, hat sicher mehrere Gründe. Zum einen waren es rein äußerliche. So erschwerte ihm etwa England die Einreise, während ihm die West-Berliner Behörden mitteilten, daß er keinen Anspruch mehr auf sein Haus in Eichkamp habe. Außerdem hörte Zweig, daß viele seiner Freunde, wie Becher, Bredel, Weinert und Wolf, in den östlichen Teil des viergeteilten Deutschland zurückgekehrt seien. Selbst als ihn Maximilian Müller-Jabusch, den Zweig noch aus der Kownoer Zeit kannte und der nach 1945 Chefredakteur des West-Berliner «Abend» geworden war, am 2. Juni 1947 brieflich warnte, daß ihn die «Kommunisten, darin von den Russen wirkungsvoll unterstützt», im Falle einer Umsiedlung nach Berlin sicher nur «für ihre Zwecke ausnutzen würden» und dabei auf Anna Seghers verwies, die man nach ihrer Rückkehr in Ost-Berlin geradezu «wochenlang» gefeiert habe[229], schrieb Zweig am 30. Juli 1947, nun schon entschlossen, diesen Schritt zu wagen, von Haifa an Müller-Jabusch zurück: *Durch die Beobachtung meines Lebens, wie es sich vor meinen Augen entfaltete, bin ich im Verlauf dieser zwölf Jahre auf dem Karmel von vielen Irrtümern geheilt worden, die meine akademische Bildung mir beigebracht hatte. Ich habe keine Angst mehr vor irgend etwas, was mit Kommunismus zusammenhängt, und sehe die Welt viel deutlicher und, wie mir scheint, adäquater, seit ich sie als Marx-Schüler sehe.* Er fügte sogar noch hinzu, daß er durchaus bereit sei, *das Schicksal des deutschen Volkes zu teilen* und auch mögliche Widrigkeiten auf sich zu nehmen.[230]

Eingeleitet wurde dieser Umzug durch einen Brief Johannes R. Bechers vom 3. August 1947, in dem er Zweig bat, nach Deutschland zurückzukommen, und ihm zugleich versprach, seine Bücher beim neugegründeten Aufbau-Verlag herauszubringen. Als weiterer Verbindungsmann fungierte vor allem Louis Fürnberg, der veranlaßte, daß Zweig am 19. April 1948 durch das tschechoslowakische Informationsministerium eine offizielle Einladung bekam, als Staatsgast in die ČSSR zu kommen. Diese Einladung nahm er, der als deutschschreibender Schriftsteller in Palästina keine Zukunft für sich sah, ohne Zögern an. Doch wegen mannigfacher Visumschwierigkeiten und der durch kriegerische Auseinandersetzungen verursachten Sperrung des Hafens in Haifa konnten die Zweigs erst am 14. Juli, kurz nach der Gründung des Staates Israel im Mai des gleichen Jahres, über Zypern, Athen und Rom nach Prag fliegen, wo sie Fürnberg empfing und wenige Tage später im Schloß Dobriš bei Prag

Louis Fürnberg (um 1945)

unterbrachte. Hier besuchte sie am 11. September Paul Wandel, der Erste Vorsitzende der Zentralverwaltung für Volksbildung in der Sowjetischen Besatzungszone. Zehn Tage später wurden sie von Johannes R. Becher, und zwar in seiner Funktion als Präsident des «Kulturbundes zur demokratischen Erneuerung Deutschlands», offiziell nach Berlin eingeladen. Auch dieses Angebot griff Zweig umgehend auf und beschloß seine Danksagung mit den Worten: *Wie ich mich auf das Wiedersehen mit Euch Allen freue, brauche ich nicht zu sagen, ebenso wenig, daß ich mit Beklemmung den Eindruck erwarte, den die Trümmer des tausendjährigen Reiches auf mich machen werden.*[231]

Wieder in Berlin (1948–68)

Am 18. Oktober 1948 traf Zweig – von Prag kommend – auf dem Anhalter Bahnhof in Berlin ein, wo er von Johannes R. Becher begrüßt wurde. Wie viele der prominenten Rückkehrer aus dem Exil wurde er anfänglich in der Wilhelmstraße in einem stehengebliebenen Seitenflügel des «Hotel Adlon» untergebracht. Nachdem man ihn durch die zertrümmerte Innenstadt gefahren hatte, gab der «Kulturbund» einen Empfang für ihn, bei dem der SED-Politiker Paul Wiegler, der Publizist Alfred Kantorowicz und der Dramatiker Friedrich Wolf die Begrüßungsansprachen hielten, auf die Zweig mit bewegten Worten antwortete. Erste Orientierungsgespräche mit alten Freunden fanden außerdem im Künstlerclub «Die Möwe» statt, in dem er sich unter anderem mit dem Sänger Ernst Busch, dem Regisseur Wolfgang Langhoff, dem Komponisten Hanns Eisler, dem Stückeschreiber Bertolt Brecht und der Schauspielerin Helene Weigel traf. Schon wenige Tage später stellte sich Zweig mit erstaunlicher Energie all den auf ihn einstürmenden politischen und kulturellen Aufgaben, wobei ihm die junge Ilse Frank, die spätere Ilse Lange, als kluge und unermüdliche Sekretärin zur Hand ging.

Besonderen Anteil nahm Zweig anfangs an den vielfältigen Aktivitäten des «Kulturbundes zur demokratischen Erneuerung Deutschlands», welcher Friedenskundgebungen, Ausstellungen, Konzerte sowie politische Aussprachen mit Massenorganisationen veranstaltete, auf denen er eine Reihe längerer oder kürzerer Reden hielt. Außerdem wurde ihm die Möglichkeit eröffnet, im «Schutzverband deutscher Schriftsteller» aktiv zu werden, im Rundfunk zu sprechen, mit Vertretern des Aufbau-Verlags über Neuausgaben seiner Romane zu konferieren, für die Tagespresse zu schreiben, mit russischen Kulturoffizieren wie Dymschitz und Tulpanow Gespräche zu führen und an der Humboldt-Universität Vorträge zu halten. Dabei wählte Zweig für seine Reden und Ansprachen meist Themen aus dem Umkreis der *Oktoberrevolution* und des damaligen *Friedenskampfes*, aber auch Themen wie *Palästina heute*, *Über das Grimmsche Märchen «Der Jude im Dorn»* oder *Die seelischen Voraussetzungen des Lernens*, in denen er sein Interesse an jüdischen und psychologischen Fragen betonte. Während er all diese Aufgaben mit geradezu jugendlich erneuerter Kraft bewältigte, konnte sich Beatrice aus psychischem Horror vor Deutschland, als dem Land der «Judenmörder», anfangs nicht entschließen, ebenfalls nach Berlin umzusiedeln und war deshalb mit schweren seelischen Depressionen, an denen sie bereits in den späten zwanziger und frühen vierziger Jahren gelitten hatte, in Prag zurückgeblieben. Sie traf erst zwei Monate später, am 19. Dezember 1948, am Anhalter Bahnhof ein und fiel auch in den folgenden Monaten häufig in Angstzustände zurück, ja wollte unbedingt nach Haifa zurückkehren.

Die nächsten zwei bis drei Jahre, in denen der «Kulturbund» den Zweigs erst ein Haus in der Ossietzky-Straße und dann eines in der Ho-

Mit Oberst Tulpanow während des für Zweig veranstalteten Empfangs im Club der Kulturschaffenden in Berlin am 20. Oktober 1948

Mit Alexander Abusch und Hanns Eisler auf einer Friedenskundgebung des «Kulturbundes zur demokratischen Erneuerung Deutschlands» in Berlin, 24. Oktober 1948

meyerstraße in Berlin-Niederschönhausen zur Verfügung stellte, waren weitgehend von ähnlichen Verpflichtungen erfüllt, wie sie Zweig schon in den ersten vier Monaten seines Berliner Aufenthalts übernommen hatte. Und er entzog sich diesen Aufgaben keineswegs, da er sich als leicht entflammbarer Humanist nach den fünfzehn Jahren, die er in Palästina im Zustand der Einsamkeit und Nichtanerkennung verbracht hatte, endlich tatkräftig für eine *gesamtmenschliche Kultur*, einen *erweiterten Bereich der Menschenrechte*, das *Aufrechterhalten eines schöpferischen Friedens* wie überhaupt das *Dreigestirn Vernunft*, *Arbeit und Lebensfreude* einsetzen wollte.[232] Während solche Worte bei anderen damals recht phrasen- oder zumindest leitartikelhaft klangen, versuchte sie Zweig stets inhaltlich zu füllen, indem er die großen Ideale, die hinter solchen Parolen standen, mit konkreten Beispielen aus der leidvollen Geschichte seiner eigenen Erfahrungen verband. Fast allen seinen Reden aus dieser Zeit merkt man an, daß er es leid war, als Jude und Sozialist weiterhin Außenseiter zu bleiben, und sich energisch darum bemühte, endlich eine gesamtgesellschaftlich-repräsentative Rolle zu spielen. Wie Becher, Wolf,

Seghers und Brecht bekannte sich deshalb auch Zweig, trotz mancher inneren Vorbehalte gegen eine fortschreitende Bürokratisierung des geistigen Lebens und die damit verbundenen Zensurmaßnahmen, zu der im Oktober 1949 gegründeten Deutschen Demokratischen Republik.

Am deutlichsten kommt das in den vielen, meist frei vorgetragenen Reden zum Ausdruck, die er in den Jahren 1949 bis 1951 als offizieller Vertreter des «Kulturbundes zur demokratischen Erneuerung Deutschlands» auf den Weltfriedenskongressen in Warschau und Paris, auf Schriftstellertreffen und Akademietagungen, aber auch vor so unterschiedlichen Gruppen wie den Hennecke-Aktivisten, der Freien Deutschen Jugend oder der Jüdischen Gemeinde in Ost-Berlin hielt, in die sich Zweig – als einziger prominenter Kulturvertreter der DDR – in den frühen fünfziger Jahren als volles Mitglied aufnehmen ließ. In den meisten dieser Reden setzte er sich für die Stärkung des *Friedens* ein, was ihm nach zwei von Deutschland verursachten Weltkriegen sowie angesichts des 1950 ausgebrochenen Korea-Kriegs als die vordringlichste Aufgabe erschien. Ähnliche Gedanken trug er in kurzen Grußadressen auf verschiedenen staatlichen Empfängen vor, bei denen er neben alten Künstlerfreunden auch mit DDR-Politikern wie Wilhelm Pieck, Otto Grotewohl und Albert Norden sowie Politikern und Künstlern anderer sozialistischer Länder zusammentraf.

Während einer Reihe der damaligen Prominenten bei solchen Anlässen nur ein recht begrenztes Wissen und Vokabular zur Verfügung stand, konnte Zweig bei seinen Vorträgen auf erstaunlich breite Kenntnisse auf vielen politischen, soziologischen, kulturhistorischen und literarischen Gebieten zurückgreifen und seine Zuhörer immer wieder mit neuen Pointen, humorvollen Abschweifungen oder auch äußerst entschiedenen Stellungnahmen überraschen. Wohl am besten äußert sich das in jenen Reden, in denen er sich – neben seinen vielen Friedensappellen – zu maßgeblichen Vertretern der deutschen oder europäischen Kultur wie Goethe, Heinrich Mann und Frédéric Chopin bekannte oder literaturtheoretische Probleme wie die ihn zentral interessierende Romanform aufgriff. Ebenso vielfältig ist der Themenschatz all jener Aufsätze und journalistischen Statements, die Zweig zwischen 1949 und 1951 für DDR-Periodika schrieb, wobei die eher tagespolitischen in Blättern wie «Aufbau», «Tägliche Rundschau», «Neues Deutschland» oder «Berliner Zeitung» und die eher kulturpolitischen in Blättern wie «Sonntag», «Heute und Morgen» oder «Sinn und Form» erschienen. Was Zweig hier publizierte, ist wegen seiner Fülle im einzelnen gar nicht aufzuzählen und umfaßt neben Appellen an Vernunft und Friedensbereitschaft auch Erinnerungen an Sigmund Freud und Gustav Landauer, Statements über die Lage im Staate Israel sowie Aufsätze über so unterschiedliche Künstler wie Johann Sebastian Bach und Theodor Fontane, die nicht nur Musterbeispiele des politisch, sozial und kulturell engagierten

Mit Hermann Budzislawski auf dem Deutschen Volkskongreß in Berlin (1949)

Essays darstellen, sondern zugleich Zweigs universalhistorische Bildung demonstrieren.

Doch es war nicht allein der Journalismus, der ihn in seinen Bann zog.

Während der Ansprache anläßlich einer Veranstaltung der Landesfriedenskonferenz in Düsseldorf (8. August 1950)

In den gleichen drei Jahren unternahm Zweig auch ausgedehnte Reisen nach Warschau, Paris, Zürich, Krakau, Kattowitz, Hamburg, Düsseldorf sowie quer durch die DDR. Außerdem trat er weiterhin regelmäßig bei den Veranstaltungen des «Kulturbundes zur demokratischen Erneuerung Deutschlands» auf, saß ab November 1949 als Vertreter dieser Organisation in der Volkskammer der DDR und beteiligte sich maßgeblich an der Neugründung der «Akademie der Künste» in Ost-Berlin, deren Präsident er am 25. März 1950 wurde, nachdem drei Wochen zuvor der für dieses Amt vorgesehene Heinrich Mann im kalifornischen Exil unerwartet gestorben war. All das konnte Zweig in seinem Alter und bei seiner begrenzten Sehkraft nur leisten, weil ihn die staatlichen Stellen in jeder Weise unterstützten. Selbst im Rahmen der sogenannten Formalismus-Debatte der frühen fünfziger Jahre, bei der sich andere aus dem Exil zurückgekehrte Künstler wegen ihrer «modernen» und damit angeblich volksfremden künstlerischen Stilmittel den Vorwurf des bürgerlichen Elitismus, wenn nicht gar der «Dekadenz» gefallen lassen mußten, wurde Zweig nie offiziell gerügt.

Doch für solche Vorwürfe gab es in seinem Fall auch wenig Gründe. Schließlich hatte er sich nie auf sogenannte formalistische Experimente eingelassen und wurde daher von Becher und Lukács, den einflußreichsten Wortführern der marxistischen Ästhetik in diesem Zeitraum, neben Autoren wie Thomas und Heinrich Mann gern als einer der wichtigsten Vertreter jenes «Kritischen Realismus» hingestellt, der zwar noch nicht bis zur Darstellung von Klassenkämpfen, also zum «Sozialistischen Realismus» vorgestoßen sei, aber wegen seiner psychologisch glaubhaft erzählten Wandlungsprozesse bürgerlicher Romanfiguren von einer affirmativen zu einer gesellschaftskritischen Haltung zu den historisch notwendigen Vorläufern wahrhaft sozialistischer Literaturkonzepte gehöre. Obendrein war Zweig, der in Romanen wie *Grischa* und *Einsetzung eines Königs* die russische Friedenssehnsucht der Jahre 1917 und 1918 – im Gegensatz zur aggressiven Haltung des deutschen Generalstabs – äußerst positiv dargestellt hatte, in der Sowjetunion seit Jahrzehnten ein beliebter Autor, was sich auf sein öffentliches Image in der DDR ebenfalls günstig auswirkte. Auf Grund dieser Hochschätzung und des damit verbundenen Prestiges brauchte Zweig in den frühen fünfziger Jahren, im Unterschied zu Künstlern wie Brecht, Heartfield und Eisler, nicht ständig wertvolle Arbeitskraft im Kampf gegen eine allzu enge Auslegung der Prinzipien des «Sozialistischen Realismus» zu vergeuden, sondern konnte sich weitgehend auf seinen eigenen Aufgabenkreis konzentrieren. Das soll nicht heißen, daß er sich egoistisch oder opportunistisch verhalten hätte. Großmütig, wie er war, setzte sich Zweig gerade in diesen Jahren immer wieder für betont avantgardistische Künstler wie Eisler ein, dessen «Doktor Faustus» er aus Gründen der politischen und ästhetischen Toleranz nachdrücklich verteidigte, obwohl er selbst ganz andere Stilhaltungen favorisierte. Und viele solcher Künstler waren ihm für diese Eingriffe, selbst wenn sie vergeblich waren, zutiefst dankbar.

Die einzigen, die Zweig in diesen Jahren etwas enttäuschte, waren jene, die von ihm erwartet hatten, daß er sich in aller Offenheit für die Freudsche Psychoanalyse sowie die durch Magnus Hirschfeld geförderte

Emanzipationsbewegung für Homosexuelle einsetzen würde, die damals in allen sozialistischen Ländern noch als Tabus galten. Doch Briefschreiber, die ihn um 1949/50 bedrängten, in dieser Hinsicht endlich Farbe zu bekennen, wies Zweig meist darauf hin, daß es erst einmal darauf ankomme, die marxistische Untersuchung gesellschaftlicher Vorgänge, die man noch viel länger zurückgestellt habe, in Angriff zu nehmen. Anschließend könne man auch für Freud, erklärte er, sowie für bisher tabuierte sexuelle Verhaltensformen wieder eine Lanze brechen.[233] Auch daß er die «Judenfrage» nicht noch energischer auf die Tagesordnung setzte, verargten ihm manche. Im Gegensatz zu solchen Stimmen war Zweig fest davon überzeugt, daß die Probleme von Minderheiten erst dann aufgegriffen werden sollten, wenn die Probleme der Mehrheit der Bevölkerung geregelt sind. Demzufolge faßte er in den frühen fünfziger Jahren fast ausschließlich gesamtgesellschaftliche Fragen ins Auge.

Daß er in diesem Zeitraum seine Schriftstellerei weitgehend vernachlässigte, hat jedoch nicht allein politische, sondern auch persönliche Gründe. Schließlich mußte sich Zweig in diesen Jahren neben den ihm

Zweigs Haus in der Homeyerstraße 13 in Berlin-Niederschönhausen

Mit Ilse Lange im Garten seines Hauses (Juli 1951)

vom Kulturbund und der Akademie der Künste gestellten Aufgaben zugleich um seine unter tiefen psychischen Störungen leidende Frau kümmern, die anfänglich als Zionistin nicht nur antideutsche, sondern als Großbürgerstochter auch antisozialistische Affekte zu überwinden hatte. Daher brachte er sie auf ihren Wunsch erst einmal in einer West-Berliner Nervenklinik unter. *Nur wieder nach Israel will sie, in dem jungen Staat leben, am Aufbau teilhaben*, schrieb er am 2. April 1949 verzweifelt an Feuchtwanger, und erwarte von ihm, sie *auf dem Karmel bei ihrer Schwester zu installieren* und sein eigenes Leben *zwischen Haifa und Berlin* zu teilen.[234] Als sich Beatrices Zustand im Sommer 1949 leicht verbesserte, erklärte Zweig am 16. Juli 1949 Thomas Mann gegenüber, den er ebenfalls in seine Schwierigkeiten eingeweiht hatte, *daß die Ärzte und ich überzeugt sind, sie der Wirklichkeit wieder gewinnen zu können*[235]. Doch diese Hoffnung erwies sich als verfrüht. Im Spätherbst 1949 mußte Beatrice nochmals ins Krankenhaus, erst nach Buch und dann ins St.-Joseph-Spital in Weißensee. Wesentlich besser fühlte sich Beatrice erst, als er und sie am 27. Mai 1950, am Tag ihres Geburtstags, ihren *Einzug in die Präsidentenvilla Homeyerstraße 13 in Niederschönhausen* halten konnten, wie Zweig erleichtert an Feuchtwanger berichtete.[236] Hier hatten sie die Eislers und Fürnbergs als Nachbarn und konnten sich endlich mit ihren gewohnten Büchern, Manuskripten und Schallplatten mit Werken klassischer Musik sowie den Ölgemälden und Graphiken Beatrices umgeben, die ihnen entweder aus Israel nachgeschickt wurden oder in Berlin neu hinzukamen. Außerdem besaß dieses Haus einen kleinen, aber schönen Garten, eine sonnenerfüllte Veranda und ein geräumiges Arbeitszimmer, in dem Zweig – obwohl er sie kaum erkennen konnte – Fotos von Freud, Feuchtwanger und Lenin aufstellte.

Kurz nach diesem Umzug fuhren Beatrice und er erstmals wieder in gelöster Stimmung in Ferien, nach Ahrenshoop an die Ostsee, wo sich zu gleicher Zeit auch die Bechers, Eislers, Brechts, Ruth Berlau und Ernst Busch mit seiner Frau aufhielten, mit denen sie schwammen, plauderten, politisierten und künstlerische Pläne schmiedeten. *Nachdem ich die letzten zwei Jahre Woche für Woche an Ditas Wiederherstellung gearbeitet habe*, schrieb Zweig am 14. September 1950 aufatmend an Feuchtwanger, scheint sich jetzt alles *zum Guten* zu wenden.[237] *Zum Glück hat Dita nicht nur ihre volle Frische wiederbekommen, sondern so viel Sinn für unsere DDR und die Einsicht in die Gründe unserer Schwierigkeiten und das Positive unseres Lebens, daß wir gern hierbleiben.*[238]

Daher fand Zweig in der Folgezeit sowohl in seinen mannigfachen Verpflichtungen als Akademiepräsident als auch in seinem privaten Leben wieder ein größeres Genügen. Er diktierte nicht nur zahlreiche Essays, beteiligte sich an Sitzungen, hielt Reden und fuhr zu Kongressen nach Lausanne, Düsseldorf, Wien und Leipzig, sondern nahm sich auch die Zeit, mit Beatrice einige Urlaubswochen in Hullerbusch am Feldberg und in Schierke im Harz zu verbringen. Als die interessanteste dieser Reisen empfand er jene, die er zwischen dem 25. Februar und 23. April 1952 mit Beatrice in die Sowjetunion unternahm, wo sie auf Einladung des dortigen Schriftstellerverbandes an den groß aufgezogenen Gogol-Feiern teilnahmen und anschließend einige Wochen in einem Sanatorium auf der Krim verbrachten.

Zweig hat diese Reise, die ihn zum erstenmal wieder in das Land brachte, das er 1918 als wilhelminischer Soldat verlassen hatte, in seinem *Sowjetischen Tagebuch 1952*, das noch im gleichen Jahr im Druck erschien, auf das Genaueste beschrieben. Was ihn an Moskau besonders beeindruckte, war das wahrhaft *Großstädtische*, wie er es seit vielen Jahren nicht mehr erlebt hatte. Aber auch die *Opernaufführungen*, das *Ballett*, *Obrazows Puppentheater* und der *Aufenthalt auf der Krim* begeisterten ihn. Obendrein machte er auf dieser Reise in Odessa bei Professor Filatow eine Augenbehandlung durch, nach der sich seine Sehkraft wieder etwas verbesserte.[239]

Mit Wilhelm Pieck und Johannes R. Becher während der 8. Plenarsitzung des Komitees der Kämpfer für den Frieden (30. Juni 1950)

Den eigentlichen Höhepunkt dieses Jahres bildeten jedoch für Zweig die Feiern anläßlich seines 65. Geburtstags am 10. November 1952. Nachdem er bereits 1950 den Nationalpreis 1. Klasse erhalten hatte, versuchten die staatlichen Stellen jetzt geradezu alles, ihm für seinen unermüdlichen Einsatz im «Dienste des Friedens und des Aufbaus einer neuen Kultur» zu danken, wie es in den damaligen Leitartikeln der DDR-Presse hieß.[240] Einen literarisch und ideologisch wesentlich anspruchsvolleren Charakter hatte dagegen das 1952 erschienene Arnold-Zweig-Sonderheft der von der Akademie der Künste herausgegebenen Zeitschrift «Sinn und Form», in welchem neben bisher unveröffentlichten Texten von Zweig, wie *Bonaparte in Jaffa*, *Kephalides*, *Sowjetisches Tagebuch 1952* und *Skizze zu einer Geschichte des Landes Israel*, vor allem Glückwunschadressen und Aufsätze von Lion Feuchtwanger, Alfred Döblin, Anna Seghers, Bertolt Brecht, Friedrich Wolf, Georg Lukács, Paul Rilla und Hans Mayer erschienen. Wohl den besten Bericht über die offiziellen Geburtstagsfeiern am 9. und 10. November verfaßte Zweig sel-

Lion Feuchtwanger in Los Angeles (um 1955)

ber, der wenige Tage später an Feuchtwanger schrieb: *Mein Fünfundsechziger ist äußerst glorreich verlaufen. Die Matinee im Deutschen Theater am 9. vormittags war ausgezeichnet durch die Anwesenheit unseres Präsidenten Wilhelm Pieck, der zu uns in die Loge kam, um mir die Hand zu schütteln, fast mit Tränen in den Augen. Das Programm bestand aus Rezitationen unserer besten Schauspieler und Vorlesung von Glückwünschen unserer namhaftesten Kollegen in Deutschland und in der Emigration. Als Musik: Brahms 51,1. Am Montag früh telephonierten wir erst einmal mit Adam. Darauf ab zehn Uhr Festsitzung in der Akademie mit der Überreichung des Ehrendoktordiploms der Philosophischen Fakultät der Universität Leipzig. Dann Gratulationsempfang in der Akademie. Blumen so viel, daß heute noch nach vierzehn Tagen unsere Glasveranda für Menschen unbetretbar ist. Am Abend war der allgemeine Empfang im Kulturbund-Klub, und auch da, wie den ganzen Tag hindurch, nicht ein falscher Ton, keine übertriebenen und auch untertriebenen Reden.*[241]

Doch im gleichen Brief an Feuchtwanger, in dem er eine vorläufige

Bilanz seiner ersten vier DDR-Jahre zu ziehen versucht und der soviel Selbstvertrauen auszustrahlen scheint, beklagt sich Zweig zugleich über *den Zustand meiner Augen, meiner Nerven, und meine mangelnde Konzentration auf das, was mir not tut*[242]. Denn zu dem, was er zu seinem seelischen Gleichgewicht ebenso brauche, nämlich dem Schriftstellern, habe er in diesen vier Jahren kaum Zeit gefunden. Aus diesem Grund erklärte er Feuchtwanger gegenüber: *Nach dem Wiener Kongreß* (gemeint ist der Weltfriedenskongreß, der in Wien zwischen dem 10. und 21. Dezember 1952 stattfand) *werde ich mich von allem zurückziehen, was mich ablenkt, und auch einen modus vivendi mit Akademie und Volkskammer finden, da sich die Regierung mit meinen Ansichten und Absichten voll einverstanden zeigt. Mein Werk muß immerhin so weit gefördert werden, wie es krampflos möglich ist.*[243]

Was Zweig bis zu diesem Zeitpunkt in der DDR an eigenen literarischen Werken herausgebracht hatte, waren weitgehend Neudrucke seiner bereits in der Weimarer Republik oder im Exil erschienenen Romane, das

Beatrice Zweig: Bertolt Brecht (um 1955)

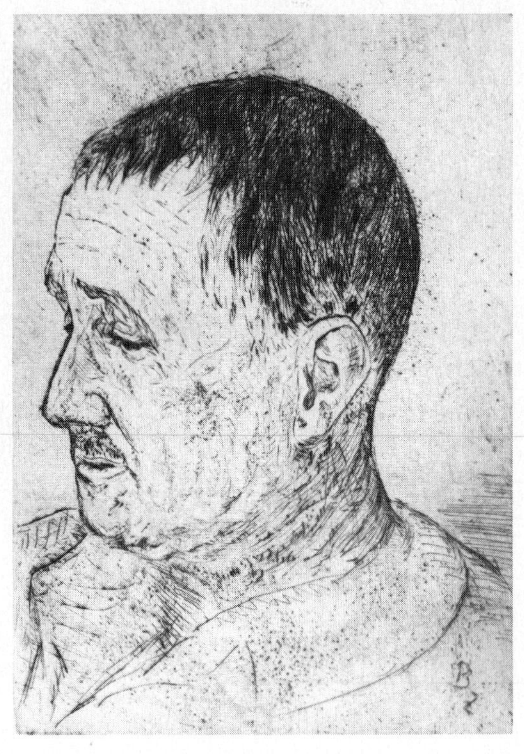

März 1952

heißt vor allem die einzelnen Teile des *Grischa*-Zyklus. Dementsprechend konnte er im Mai 1949 an Feuchtwanger schreiben: *Jedenfalls ist «Grischa» im Druck, «Junge Frau» im Umbruch, «Verdun» im Satz, «Einsetzung» ist da.*[244] Außerdem waren in diesem Zeitraum eine Reihe von

Sammelbänden mit Erzählungen – wie *Allerleirauh* (1949), *Frühe Fährten* (1949), *Stufen* (1949) und *Der Elfenbeinfächer* (1952) – erschienen. Zum Abschluß älterer Fragmente oder gar zum Diktat neuer Werke war er jedoch trotz vieler Anläufe, wie wir seinen *Taschenkalendern* entnehmen können, in diesen Jahren kaum gekommen.

Dabei hatte er, als unermüdlicher Pläneschmied und Projektemacher, noch tausenderlei vor. So ist etwa in seinen Notizen seit dem Jahre 1950 wiederholt von einem Roman mit dem Titel *Häutungen* die Rede, in dem er bereits Veröffentlichtes wie den Kurzroman *Versunkene Tage* und die Novelle *Über den Nebeln* mit noch Abzuschließendem wie *Die Rembrandtmappe* und *Das Wispern der Ruinen* zu einem autobiographisch gefärbten Romankreis zusammenzufassen suchte, der von der Zeit vor dem Ersten Weltkrieg bis in die DDR-Gegenwart führen sollte und für den er Gesamttitel wie *Carl Steinitz unterwegs*, *Münchener Symphonie* und schließlich *Rechts oder links* erwog. Aber dieses Projekt brachte er ebensowenig zum Abschluß wie den autobiographischen Essay *Freundschaft mit Freud* oder die Neubearbeitung der *Bilanz der deutschen Judenheit*, obwohl er immer wieder Ansätze dazu machte und auch neue Vorworte für sie konzipierte, in denen er neben seiner Friedenssehnsucht auch freudianische und jüdische Aspekte zur Sprache brachte. Inwieweit ihn die Arbeitsüberlastung, die außenpolitischen Spannungen zwischen dem Ostblock und Israel oder auch der bewußte Verzicht auf eine allzu autobiographische Schreibweise vom endgültigen Abschluß dieser Arbeiten abgehalten haben, sei dahingestellt. Wahrscheinlich spielten alle drei Faktoren eine Rolle.

Was Zweig dagegen in den Jahren nach 1953, als er seine Präsidentschaft der Akademie der Künste niederlegte, tatsächlich vollendete, waren zwei der schon lange angekündigten Romane des *Grischa*-Zyklus, die ihm offenbar doch wichtiger und erfolgversprechender erschienen als Bücher mit spezifisch jüdischen oder autobiographischen Zügen. Nachdem er 1952 bereits seinen noch in Haifa geschriebenen Kurzroman *Der Wendepunkt* unter dem Titel *Westlandsaga* herausgebracht hatte, dem eine Umfunktionierung der 1914 geschriebenen Novelle *Die Bestie* aus dem Wilhelminischen ins Pazifistische zugrunde liegt, nahm er sich zwischen 1951 und 1953 noch einmal die Urfassung von *Erziehung vor Verdun* vor, erweiterte das bereits vorliegende Manuskript von vier auf acht Bücher und gab ihm erst den vorläufigen Titel *Frage und Antwort 1917* und dann den endgültigen Titel *Die Feuerpause*. Nach Gesprächen mit der Leitung des Aufbau-Verlags, der dieser Roman anfänglich zu unausgereift erschien, wie Zweig selbst schrieb[245], *prüfte* er sein *Weltbild von 1930 an dem heutigen* und hob viele der *Bereicherungen* der *mitarbeitenden Lektoren* in sein *gestaltendes Bewußtsein*. Darauf schloß er das Manuskript im Juli 1953 ab, unterzog es jedoch zwischen August und Dezember nochmals einer genauen Überarbeitung. In dieser Form kam es – nach einem zeitraubenden zweimaligen Korrekturgang – im Herbst 1954 schließlich als Buch heraus.

Chronologisch gesehen, handelt es sich bei dem Roman *Die Feuerpause* um jene Monate nach dem Frieden von Brest-Litowsk, in denen der Krieg an der Ostfront allmählich *verebbte* und die deutschen Soldaten relativ untätig herumlungerten.[246] Die Hauptfiguren dieses Werks sind fast die gleichen wie schon in *Einsetzung eines Königs*: der General Clauss, der Kriegsgerichtsrat Posnanski, der Oberleutnant Paul Winfried, der Feldwebel Pont, der Schreiber Bertin, der Soldat Karl Lebehde sowie die ihrem Grischa nachtrauernde Babka. Um seinen Freunden die Zeit zu vertreiben, erzählt Bertin zwischendurch immer wieder von seinen Erlebnissen vor Verdun. Das Kriegsgeschehen selbst wird weitgehend in der gleichen Perspektive dargestellt wie schon in den früheren *Grischa*-Romanen, nämlich einerseits als eine nur freudianisch zu verstehende Auseinandersetzung zwischen *Horden und Männerbünden*[247], andererseits als ein höchst materialistisch gesehener Kampf um Rohstoffe und Landgewinne, von dem vor allem die in der «Vaterlandspartei» zusammengeschlossenen Großindustriellen, Junker und Alldeutschen profitieren wollen. Neu ist lediglich die stärkere Akzentuierung der russischen Oktoberrevolution wie auch die Erwähnung der Meuterei der *Matrosen in Wilhelmshaven*[248]. Die deutsche Novemberrevolution wird allerdings noch nicht dargestellt. Sie sollte dem folgenden Band *Das Eis bricht* vorbehalten bleiben.

Aber statt nun gleich an diesen Roman zu gehen, griff Zweig in der Folgezeit erst einmal auf jene Mappen und Notizen zurück, *die von Lily Offenstadt und ihrem Verlobten Hans Leuchter seinerzeit der Gestapo entrissen wurden*, wie er an Feuchtwanger schrieb.[249] Und zwar gab Zweig diesem Roman, für den er lange Zeit Titel wie *Aufmarsch der Jugend*, aber auch *Si vis pacem*, *Junges Volk von 1913* oder *Junge Paare, schlimme Jahre* vorgesehen hatte, jetzt den endgültigen Titel *Die Zeit ist reif*. In ihm wollte er zeigen, wie er am 10. November 1957 im «Sonntag» schrieb, *daß sich keine Gesellschaft halten kann, zu deren Grundlagen Krieg und Kriegsgeschäft als Pfeiler* gehören.[250] Das fertige Manuskript, an dem Zweig ab Mitte 1955 intensiv gearbeitet hatte, übergab er Ende Juli 1957 dem Aufbau-Verlag, der es noch vor Weihnachten des gleichen Jahres als Buch herausbrachte. Im Zentrum dieses Romans stehen wie in *Junge Frau von 1914* abermals Werner Bertin und Lenore Wahl, deren gemeinsames Studium in München, deren verstohlene Liebe und deren Reise nach Oberitalien stark autobiographische Züge aufweisen. Im Gegensatz zu Romanen wie *Novellen um Claudia* und *Versunkene Tage*, die auf ähnlich gearteten Erfahrungen beruhen, wird jedoch in dem Roman *Die Zeit ist reif* das gesamte Geschehen ständig mit höchst aufschlußreichen zeitpolitischen Anspielungen und Ereignissen durchwoben, um die Zeit zwischen dem Sommer 1913 und dem Beginn des Kriegs als eine Ära

Karikatur von Elizabeth Shaw

darzustellen, in der untergründig bereits alles auf einen Krieg hindrängte, obwohl sich viele der damaligen Intellektuellen noch immer dem Gefühl einer durch nichts zu erschütternden «Sekurität» hingegeben hätten.

Mit Romanen dieser Art entsprach Zweig genau dem damaligen Leitbild eines «Kritischen Realisten», der sowohl dem Anspruch des Psychologisch-Individuellen als auch dem des Gesellschaftlich-Typischen gerecht zu werden versucht. Sein Freund Feuchtwanger, dem das gleiche Leitbild vorschwebte, gratulierte ihm dementsprechend, indem er *Die Zeit ist reif* als einen Roman bezeichnete, in welchem es Zweig «herrlich geglückt» sei, die «Einzelschicksale in die große rollende Welthistorie» einzubauen.[251] Ebenso zustimmend äußerte sich Georg Lukács über diesen Roman, dem vor allem die reiche, nuancierte «intellektuelle Physiognomie der Gestalten» gefiel.[252] Westliche Kritiker, die sich damals im Zuge einer allgemeinen Wendung gegen den älteren «Realismus» immer stärker dem Leitbild einer betont modernen, das heißt mit Form- und Strukturelementen experimentierenden Prosa verschrieben, sahen dagegen in solchen Romanen lediglich Leitfossilien einer längst vergangenen Ära. Sie behaupteten, daß sich der auf einer klaren Fabel beruhende Roman mindestens seit der Jahrhundertwende in der Krise befinde, ja daß das Geschichtenerzählen – angesichts der immer komplizierter werdenden Lebenszusammenhänge – überhaupt obsolet geworden sei. Zweig, der schon die Prosaexperimente des Expressionismus abgelehnt hatte und auch mit Erzählhaltungen wie der des Joyceschen «Ulysses» nicht viel anzufangen wußte, sah sich daher Mitte der fünfziger Jahre herausgefordert, in Aufsätzen wie *Der Roman lebt* oder *Über die Gegenwart im Roman*, beide 1955, den realistischen Roman als das wichtigste, weil genaueste und zugleich publikumswirksamste erzählerische Genre zu verteidigen, das gerade erst *wieder begonnen* habe, *sich auf seine Aufgaben zu besinnen*[253], und das man – im Gegensatz zu vielen Romanen der *westdeutschen Literatur* – nicht dazu benutzen solle, *von der Wichtigkeit der neuen Zeit abzulenken*[254].

Was Zweig in den letzten Jahren seines Lebens in diesem Genre noch zu leisten vermochte, war allerdings weniger, als er gehofft hatte. Der Roman *Das Eis bricht*, der sich chronologisch an *Die Feuerpause* anschließen sollte, blieb trotz intensiver Bemühungen, die sich in seinen *Taschenkalendern* bis zum Jahre 1965 verfolgen lassen, Fragment. In ihm wollte Zweig – über *Einsetzung eines Königs* hinaus – durch die Einführung eines sozialistisch orientierten Zeitungsredakteurs, die Aktivitäten des Wilnaer Soldatenrats und den Ausbruch der Novemberrevolution – endlich in die Nachkriegszeit vorstoßen, war jedoch nicht mehr fähig, irgendwelche neuen Erzählsituationen zu entwerfen. Das gleiche gilt für den Roman *In eine bessere Zeit*, dessen Handlung *bis zum Jahr 1955 reichen* sollte, um den Lesern zu zeigen, *daß unser Lebensweg*, wie Zweig schrieb, *blutig und grausam wie er war, dennoch in eine bessere Zeit geführt hat*[255]. Auch hier blieb er im Rahmen seines altvertrauten Personenkreises befangen und entwickelte keine Konzeptionen mehr, mit denen er über das bereits Erreichte hinausgelangt wäre.

Arnold und Beatrice Zweig in Bad Liebenstein (September 1962)

Der einzige Roman, den Zweig in diesen Jahren tatsächlich abschloß, war *Traum ist teuer*, bei dem er sich wiederum auf eine Fabel stützte, die ihn schon seit 1944/45 beschäftigte. Nach vielen Arbeitshinweisen auf diesen Roman findet sich am 2. Juli 1959 in seinem *Taschenkalender* endlich die Notiz: *«Traum ist teuer» im Ur-Manuskript beendet*. Allerdings machte sich Zweig – weiterhin unzufrieden mit dem bisher Diktierten –

zwischen Dezember 1960 und Juni 1961 noch einmal an eine neue Fassung des Werks. Es war diese Version, die er schließlich dem Aufbau-Verlag zum Druck übergab. Im Gegensatz zu den ersten Entwürfen werden in den zwei letzten Fassungen die psychologischen Aspekte immer stärker von politischen Einsichten in die Entstehung des Faschismus überlagert. Als Hauptvertreter dieser neuen Erzählschicht bediente sich Zweig weitgehend der Figur des griechischen Sergeanten Kephalides, der sich auf Kreta als antifaschistischer Widerstandskämpfer bewährt. Im Hinblick auf seinen Haupthelden, den Wiener Psychiater Richard Karthaus, der nach 1933 in Palästina Zuflucht sucht, blieb er dagegen bei seinem altbewährten Schema des Wandlungsromans, indem er zeigte, wie dieser Mann im Laufe seines Lebens aus seinen bürgerlich-liberalen Illusionen einer totalen «Verfreiheitlichung» des Menschen wie aus einem bösen Traum erwacht und sich einer vom Sozialismus bestimmten Zukunft zuwendet, in der klar definierte Werte und Normen gelten. Allerdings gelang es Zweig nicht ganz, die beiden Erzählstränge voll aufeinander abzustimmen. Auch seine Einschätzungen des Zionismus und Freudianismus wirken zum Teil widersprüchlich, weil er sie einerseits als trügerische Illusionen, andererseits als fruchtbare Entwicklungsstadien hinstellte, die durchaus zur geistigen und seelischen Bereicherung seines Helden beigetragen haben. Als dieser Roman 1962 erschien, wurde er zwar unter Juden zu einem beliebten Streitobjekt, blieb aber sonst weitgehend unbeachtet.

Daß Zweig – trotz seines fortgeschrittenen Alters und seiner abnehmenden Sehkraft – überhaupt noch zu solchen Schwerstarbeiten fähig war, läßt sich nur aus dem Bemühen erklären, daß er auch als Siebzigjähriger nicht darauf verzichten wollte, sich für den Aufbau eines neuen Deutschland einzusetzen, und zugleich hoffte, in dieses neue Deutschland nicht allein seine sozialistischen, sondern auch seine freudianischen Anschauungen – wie Bloch seine utopischen Hoffnungen und Lukács seinen goethezeitlichen Humanismus – einbringen zu können. Hierbei ging ihm weiterhin auf unermüdliche Weise Ilse Lange zur Hand, die ihm alles vorlas, jedes Manuskript für ihn tippte sowie die pausenlos anfallenden Korrekturen durchführte. Zudem hatte Zweig in diesen Jahren wesentlich mehr freie Zeit, da er 1953 sein Präsidentenamt an der Akademie der Künste niedergelegt und kurz darauf auch auf sein Mandat als Abgeordneter der Volkskammer verzichtet hatte. Allerdings waren die darauffolgenden Jahre nicht ganz so ruhig, wie sich das Zweig im Hinblick auf seine vielen Romanpläne vielleicht gewünscht hätte. Vor allem sein ältester Sohn Michael, der in den USA als Pilot gescheitert war und mehrfach längere Zeit bei seinen Eltern wohnte, brachte viel Unruhe ins Haus, zumal er auch politisch nicht immer mit seinem Vater harmonierte und ihn zum Teil *mit Westmüll* überschüttete, wie Zweig an Feuchtwanger schrieb.[256]

Mit Schwägerin Miriam, Sohn Adam, Schwiegertochter Hannah und den Enkeln Adrian und Frederik im Garten seines Hauses (1965)

Doch Zweig ließ sich durch solche Vorfälle nicht beirren und blieb trotz mancher Enttäuschungen und Rückschläge, die in diesen höchst repressiven, noch vom Ungeist des Stalinismus überschatteten Jahren wohl kaum zu vermeiden waren, ein relativ ungebrochener Vertreter aller von ihm als «links» und damit richtig empfundenen Gesinnungen. *Wir fühlen uns nach wie vor*, schrieb er Anfang 1953 nachdrücklich, *in unserer Haut und unserer DDR wohl und zu Hause.*[257] Selbst der 17. Juni des gleichen Jahres, die anhaltende Tabuierung Freuds, das zeitweilige Verbot des 1951 nach *Das Beil von Wandsbek* gedrehten Films, die Nichtbeachtung seiner Dramen sowie die beginnenden offenen Angriffe auf Georg Lukács und Hans Mayer konnten ihn nicht von einer Haltung abbringen, in der er weiterhin sozialistische und psychoanalytische Ansichten miteinander zu verbinden suchte. *In den zehn Jahren*, erklärte er 1958, *welche ich bisher in der DDR verbrachte, habe ich durchaus gelernt, mich Realitäten nicht zu widersetzen, aber auch nicht nachgegeben, dort wo ich recht zu haben glaube wie etwa im Falle Freuds.*[258]

Allerdings konnte Zweig – schon auf Grund seines hohen Alters – nicht verhindern, daß er in der Folgezeit allmählich einsamer wurde. Viele seiner besten Freunde – wie Becher, Brecht und Feuchtwanger – starben in diesen Jahren und hinterließen in seinem Leben Leerräume, die nicht wieder zu füllen waren. Allen diesen Verstorbenen widmete er daher bewegte und bewegende Nachrufe. Nicht minder schmerzlich war es für ihn, daß Männer wie Alfred Kantorowicz, Ernst Bloch und Hans Mayer, also alte Antifaschisten wie er, damals aus Protest gegen deutlich repressive Maßnahmen des Ulbricht-Regimes die DDR verließen und in den Westen gingen. Um nicht völlig zu vereinsamen, kam deshalb Zweig auch in diesem Zeitraum allen an ihn gestellten Ansprüchen nach. Er diktierte weiterhin eine Fülle kürzerer journalistischer Beiträge und Grußadressen, hielt Gedächtnisreden, fuhr zu Konferenzen, übernahm 1958 das Präsidium des deutschen PEN-Zentrums und setzte sich als vielgefragter Festredner nicht nur für die deutschen Klassiker, sondern für alle ein, die sich bemühten, sowohl den Humanismus der Aufklärung als auch den *gegen eine Ausweitung des menschlichen Aggressionstriebs* gerichteten Freudianismus in eine sozialistische Gesinnung hinüber zu retten.[259]

Doch auch ihm selber wurden bis zu seinem Tod – auf Grund seines steigenden Prestiges – viele Anerkennungen zuteil. So erhielt er im Jahre 1958 als vierter DDR-Autor nach Seghers, Becher und Brecht in Moskau den Lenin-Friedenspreis, eine der höchsten Auszeichnungen des gesamten Ostblocks. Im Jahre 1962 brachte der Aufbau-Verlag – anläßlich seines 75. Geburtstags – einen «Arnold-Zweig-Almanach» mit Briefen, Glückwünschen und Aufsätzen von Alexander Abusch, Willi Bredel, Max Brod, Alexander Dymschitz, Ernst Fischer, Bruno Frei, Stefan Heym, Herbert Ihering, Ernst von Salomon, Rolf Schneider und anderen heraus, während ihm der Staat wegen seines oft bekundeten Respekts vor den Leistungen der deutschen Klassik die Schiller-Plakette verlieh. Und solche Ehrungen nahm er, der so lange unter neurotisch bedingten Selbstzweifeln gelitten hatte, auch gern an.

Nach diesem Zeitpunkt ließ Zweigs politische und schriftstellerische Aktivität allerdings mehr und mehr nach, wie wir seinen *Taschenkalendern* entnehmen können. Er versuchte zwar 1964 und 1965 noch einmal an dem Roman *Das Eis bricht* zu arbeiten, gab aber diesen Versuch wieder auf. Und doch blieb er auch in dieser Zeit – trotz mancher Altersbeschwerden, gegen die er in Bad Liebenstein Linderung suchte – weiterhin gelassen und bemühte sich, die zunehmende Senilität durch eine bewußte Reduzierung seiner Ansprüche auszugleichen. Hocherfreut war er nicht nur, als ihn in diesen Jahren sein früherer *Orient*-Mitarbeiter Wolfgang Yourgrau aus Denver besuchte, sondern auch darüber, daß seine Geschwister Hans und Ruth, die es nach Buenos Aires verschlagen hatte, vorübergehend nach Berlin kamen. Was Zweig nach wie vor liebte, wenn er sich vom Vorlesen und Diktieren ermüdet fühlte, war die klassische Musik, die ihm die nötige psychische Entlastung bot und ihn davor bewahrte, andere Menschen wegen seiner begrenzten Sehkraft ständig unter Druck zu setzen. «Später», schrieb Beatrice 1978 in ihren «Erinnerungen», «als er fast blind war, war er, das muß ich unbedingt sagen, sehr geduldig und hat sich eigentlich nie über sein Schicksal beklagt. Er hat nie viel gefordert und war sehr bescheiden und dankbar und sehr still.»[260]

Aufgebracht wurde Zweig nur noch einmal, als nämlich im Herbst 1967 die Springer-Presse die Meldung verbreitete, Arnold Zweig habe in einem Brief erklärt, daß er die Politik der DDR – vor allem im Hinblick auf die Israel-Frage – zutiefst ablehne. Darauf ließ Zweig am 10. September im «Neuen Deutschland» folgende Erklärung einrücken: *Noch niemals, selbst nicht im braunen Reich des Herrn Goebbels, sind derart faustdicke Lügen über mich verbreitet worden. Jedes Wort, selbst die Interpunktionszeichen, sind erfunden. Seit Jahren habe ich erklärt, daß ich mich nirgendwo so heimisch fühle wie in unserer Deutschen Demokratischen Republik. Die Schwindler bestätigen mir wieder einmal die Richtigkeit meiner Entscheidung.* Vier Tage später schrieb er im «Neuen Deutschland» noch unmißverständlicher, daß er gegen jede *weitere Verleumdung* unverzüglich Strafanzeige zu erstatten gedenke, worauf sich Günter Grass – im Namen der «besseren» Bevölkerungshälfte der Bundesrepublik – öffentlich bei Zweig für die bewußt diffamierenden Unterstellungen der Springer-Presse zu entschuldigen suchte.

Um so größer waren die Ehrungen, mit denen die DDR im November des gleichen Jahres Arnold Zweig zu seinem 80. Geburtstag überhäufte. Wegen seiner «Verdienste um die Verständigung und Freundschaft der Völker und die Erhaltung des Friedens», wie es wiederum in fast schon erstarrter Klischeehaftigkeit hieß, veranstaltete die Berliner Staatsbibliothek bei dieser Gelegenheit eine propagandistisch wohlvorbereitete «Arnold-Zweig-Ausstellung», während ihm leitende Vertreter des Aufbau-Verlags den letzten Band der sechzehnteiligen Ausgabe seiner Werke überreichten. Außerdem fand am Vorabend seines Geburtstags im Deutschen Theater ein Festakt statt, auf dem Anna Seghers und Hermann Kant sowie der Kulturfunktionär Alexander Abusch die offiziellen Ansprachen und Grußadressen verlasen, während zwischendurch Sätze aus seinen Lieblingstrios und -quartetten gespielt wurden, die er gar nicht oft genug hören konnte.

Im folgenden Jahr wurde Zweig durch einen rapiden Verfall seiner Kräfte und eine Folge von Lähmungen, die mit einer fortgeschrittenen Arteriosklerose zusammenhingen, zusehends ans Bett gefesselt. Nach schwerem Leiden starb er schließlich am 26. November 1968, sechzehn Tage nach seinem 81. Geburtstag. Seinem letzten Willen gemäß setzte man ihn nicht auf dem Jüdischen Friedhof, sondern auf dem Dorotheenstädtischen Friedhof neben den Gräbern seiner Freunde Becher, Brecht, Eisler und Heinrich Mann bei. In den vielen Würdigungen, die nach Zweigs Tod in der DDR erschienen, wurden abermals seine «Friedensliebe» und sein «Kosmopolitismus» herausgestrichen sowie manchen seiner Werke, vor allem den Romanen des Grischa-Zyklus, der Rang des «Klassischen» zuerkannt.[261]

Epilog

Doch alle diese Nachrufe bewegten nur noch die Luft. In den Jahren 1967 und 1968 standen – tagespolitisch gesehen – ganz andere Fragen im Vordergrund als die, für die sich Zweig interessiert hatte. In der DDR herrschte damals das von Walter Ulbricht forcierte Konzept der «Sozialistischen Menschengemeinschaft», das alle gesellschaftlichen Antagonismen – in einem Vorgriff auf die Zukunft – schönfärberisch auszublenden versuchte, was unter jüngeren Schriftstellern und Schriftstellerinnen wie Heiner Müller, Volker Braun, Wolf Biermann und Christa Wolf zu heftigen Gegenreaktionen führte, während in der Bundesrepublik zum gleichen Zeitpunkt die Aktionen der sogenannten Achtundsechziger in den Mittelpunkt der ideologischen Debatten rückten. So verschieden diese beiden Reaktionen auf das Verfestigte der gesellschaftlichen Verhältnisse in den beiden deutschen Staaten auch gewesen sein mögen, eines hatten sie sicher gemeinsam, nämlich einen jugendlichen Aktionismus, der von der besonnenen und aggressionslosen Altershaltung eines Arnold Zweig gleichermaßen weit entfernt war.

Allerdings darf man hierbei – im Hinblick auf die Zweig-Rezeption bzw. Nichtrezeption – einen gravierenden Unterschied nicht übersehen. In der DDR war die jüngere Generation, der man bereits in der Schule den *Grischa* als Pflichtlektüre vorgesetzt hatte, zu diesem Zeitpunkt schon etwas zweigmüde und reagierte deshalb auf die vielen offiziellen Zweig-Huldigungen der Jahre 1967/68 eher allergisch als zustimmend. Für die Bundesrepublik trifft jedoch genau das Gegenteil zu. Hier nahm die jüngere Generation die wenigen Zweig-Nachrufe, die damals erschienen, überhaupt nicht wahr, weil sie entweder von diesem Autor nie gehört hatte oder ihn bestenfalls mit Stefan Zweig verwechselte. Selbst seine vier bedeutendsten Romane, *Der Streit um den Sergeanten Grischa*, *Junge Frau von 1914*, *Erziehung vor Verdun* und *Das Beil von Wandsbek*, waren in diesem Land bis 1967/68 – wegen der anhaltenden Kalten-Kriegs-Stimmung – weitgehend unbekannt geblieben. Eine Änderung dieser Situation trat in der Bundesrepublik erst in der zweiten Hälfte der siebziger Jahre ein, als einige Literaturkritiker hinter dem in der DDR zum «Staatsklassiker» erstarrten Autor den großen sozialistischen Humanisten und zugleich Freud-Schüler Zweig zu entdecken begannen. Doch

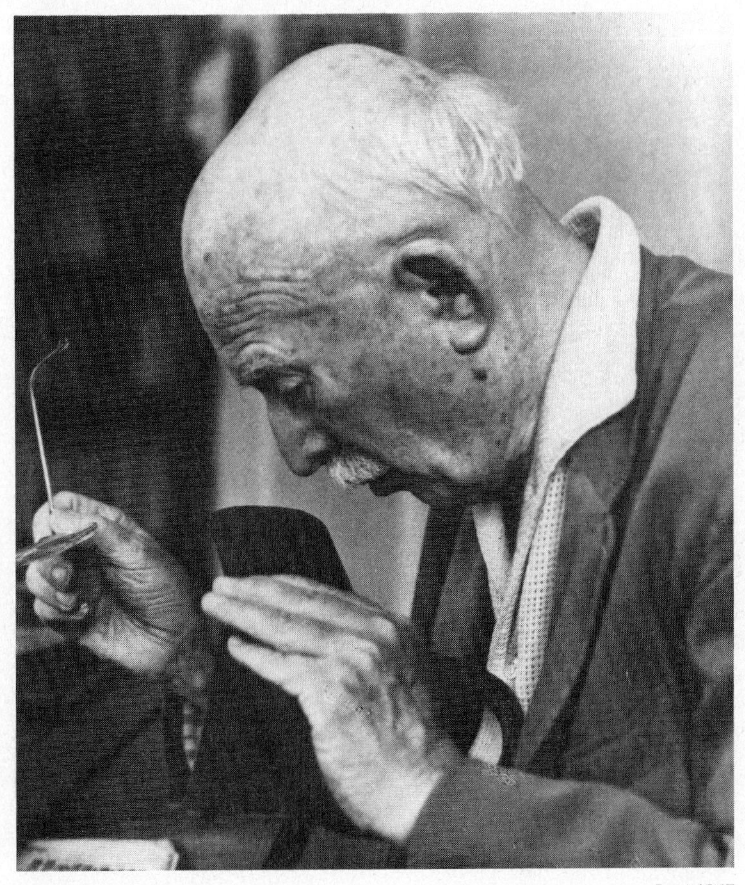

Juni 1967

selbst dann dauerte es noch weitere zehn Jahre, bis – zwischen 1985 und 1988 – bei S. Fischer endlich eine vielbändige Auswahl seiner Werke herauskommen konnte. Erst sie verschaffte diesem Autor eine beachtliche Breitenwirkung und trug dazu bei, daß im Jahre 1987 – anläßlich seines 100. Geburtstags – sogar bundesdeutsche Massenmedien wie das Fernsehen auf ihn aufmerksam wurden.

Im Zuge dieser Entwicklungen kam es in der westdeutschen Presse, die sich plötzlich einem weitgehend unbekannten und zugleich wegen seiner politischen Wandlungen höchst irritierenden Schriftsteller gegenübersah, im Hinblick auf Zweig zu einer deutlichen Polarisierung in einen soziali-

Grabstein auf dem Dorotheenstädtischen Friedhof in Berlin

stisch-engagierten und einen jüdisch-freudianisch orientierten Zweig – je nachdem, welche Akzente die einzelnen Kritiker jeweils setzten. Doch wie es keine zwei Brechts gibt, das heißt einen materialistischen und einen vormaterialistischen, gibt es auch keine zwei Zweigs. In dem jüdischen Freudianer steckt zugleich der Sozialist, in dem Sozialisten zugleich der jüdische Freudianer Zweig. In diesem Punkt gab es für ihn kein bloßes «‹Entweder-Oder›, sondern nur ein individuell artikuliertes, geschichtlich sinnvolles ‹Und›». So wie Zweig im Hinblick auf das Jüdische sowohl das «verzweifelte Bemühen um absolute Assimilation in der Diaspora» als auch die «Verabsolutierung eines ‹Judenstaats›» als mögliche Lösungen ablehnte[262], hat er mit gleicher Nachdrücklichkeit sowohl eine Verabsolutierung des Sozialismus ins Nationalistische als auch eine Verabsolutierung des Kapitalismus ins Internationalistische abgelehnt – und statt dessen gegen Ende seines Lebens für Europa eine nachkapitalistische Gesellschaftsordnung ins Auge gefaßt, in der die Juden nur so lange auf ihrer Gruppeneigenart beharren sollten, bis ein wahrhaft humanistisches Staatsgebilde verwirklicht sei, in dem alle Menschen, und zwar ungeachtet ihres Herkommens, den gleichen Respekt genießen.[263]

Unter dieser Doppel- oder gar Tripelperspektive gesehen, hinter der als ideologische Fixpunkte immer wieder die Namen Marx, Herzl und Freud aufleuchten, lassen sich fast alle von Zweig vertretenen Anschauungen letztlich auf die gleiche Grundeinstellung zurückführen. Und diese besteht in seinem früherworbenen Sinn für ein im Sozialen verankertes humanistisches Kulturbewußtsein, das sowohl in seinem von Buber übernommenen Kulturzionismus, seiner Schelerschen Liebesethik, seiner kulturmissionarischen Haltung zu Anfang des Ersten Weltkriegs, seinem eher ins Revolutionäre tendierenden Landauerschen Gefühlssozialismus, seinem betont antinarzißtischen Freudianismus, seinem linksliberalen «Weltbühne»-Engagement während der Weimarer Republik, seinem militanten Antifaschismus im palästinensischen Exil als auch seinen späteren marxistischen Anschauungen zum Ausdruck kommt. Genau betrachtet, ist Zweig innerhalb dieser Wandlungen und Lernprozesse stets der gleiche, moralisch absolut integere Humanist geblieben, der alle diese weltanschaulichen und politischen Entwicklungsphasen nicht als willkürliche Abbrüche, sondern als ihn bereichernde und zugleich in seiner Solidarität mit allen Unterdrückten bestärkende Erweiterungen empfunden hat.

Aus diesem Grund fehlt in seinem Werk sowohl das Zerstückelte als auch das Dogmatisch-Erstarrte. Was in ihm dominiert, ist eher das Fließende, Flexible, Aufnahmebereite, was sich als leichtentzündlich, ja als naiv, aber auch als einsichtsvoll, wenn nicht gar weise interpretieren läßt. Jedenfalls hat diese Haltung bei Zweig zu einer affektlosen Verständnisbereitschaft, einer Nachsicht gegenüber individuellen Schwächen, einer umfassenden Menschlichkeit geführt, der keine ironische Unverbindlichkeit, sondern ein hohes soziales Verantwortungsbewußtsein zugrunde liegt. Was Zweig letztlich vorschwebte, war eine Synthese aus einem betont antinarzißtisch verstandenen Freudianismus und einem zu wahrer Vergesellschaftung führenden Marxismus, um so die immer noch in infantilen Egoismen und herrschsüchtigen Aggressionen steckenden Einzelmenschen, aber auch ganze Klassen oder Völker auf eine höhere Stufe der Gesittung zu führen. In diesem Sinne schrieb er in einem seiner späten Kernessays, betitelt *Die Vermenschlichung des Menschen*, daß es ihm in seinen Werken vornehmlich darum gegangen sei, seinen Mitmenschen *Mut zu machen*, und zwar *Mut* darauf, die *Struktur der Gesellschaft* endlich dahingehend zu verändern, daß die Menschen nicht *notwendig* an ihrer eigenen Unaufgeklärtheit in psychischer und gesellschaftlicher Hinsicht *scheitern* müßten.[264] Zugegeben: das sind große und goldene Worte. Aber sie klingen aus seinem Mund etwas überzeugender als aus manchem anderen.

Anmerkungen

1 Vgl. «Arnold Zweig 1887–1968. Werk und Leben in Dokumenten und Bildern». Hg. von Georg Wenzel. Berlin/DDR 1978. S. 4
2 Eberhard Hilscher: «Arnold Zweig. Leben und Werk». 7. Aufl. Berlin/DDR 1985. S. 8
3 *Lebensabriß*. In: «Früchtekorb». Rudolstadt 1956. S. 153
4 Ebd., S. 154
5 Ebd.
6 Ebd.
7 Ebd., S. 155
8 Vgl. Wenzel, a. a. O., S. 14
9 Ebd., S. 18f
10 Ebd., S. 21
11 Vgl. Hilscher, a. a. O., S. 14f
12 Briefe an Helene Joseph (1. Mai 1912, 19./20. Juli 1912 und 9. März 1912), Arnold-Zweig-Archiv, Berlin/DDR, im folgenden AZA
13 Brief an Helene Joseph (15./16. August 1912), AZA
14 *Meine Frau, die Malerin*. In: «Das Magazin», 1959, H. 6, S. 47–50
15 Vgl. Beatrice Zweig: «Erinnerungen». In: «Das Magazin», 1978, H. 11, S. 14–16
16 Brief an Helene Weyl, geb. Joseph (14. Juli 1913), AZA
17 Zit. in Wenzel, a. a. O., S. 24f
18 Ebd., S. 26
19 *Lebensabriß*, S. 155
20 *Das zweite Geschichtenbuch*. München 1923. S. 16, 17, 31
21 Ebd., S. 34
22 Ebd., S. 74
23 Ebd., S. 111
24 Brief an Helene Weyl (15./16. August 1912), AZA
25 *Novellen um Claudia*. Berlin 1931. S. 24
26 Vgl. Brief an Helene Weyl (28. Dezember 1913), AZA
27 Vgl. Eva Kaufmann: «Arnold Zweigs Weg zum Roman». Berlin/DDR 1967. S. 23f
28 Brief an Helene Weyl (27. Dezember 1913), AZA
29 *Die Umkehr des Abtrünnigen*. Darmstadt 1925. S. 7
30 Ebd., S. 64
31 Brief an Helene Weyl (27. August 1914), AZA
32 *Nachbericht zur «Westlandsaga»*. Frankfurt a. M. 1985. S. 129
33 Vgl. Ursula Madrasch-Groschopp: «Die Weltbühne. Porträt einer Zeitschrift». Berlin/DDR 1983. S. 79
34 Vgl. u. a. *Über Japan*. In: «Die Schaubühne», 1915, S. 511
35 Vgl. *Blick auf Bismarck*. In: «Die Schaubühne», 1915, S. 293f
36 Vgl. *Der Genius des Krieges*. In: «Die Schaubühne», 1915, S. 368
37 *Kriegsziele*. In: «Süddeutsche Monatshefte», Dezember 1915, S. 281f
38 Hilscher, a. a. O., S. 51
39 *Lebensabriß*, S. 156
40 Brief an Helene Weyl (18. Juli 1916), AZA
41 Hilscher, a. a. O., S. 52
42 *Lebensabriß*, S. 156
43 Ebd., S. 156

44 *Entstehungsbericht*. Abgedr. in Wenzel, a.a.O., S. 88
45 Wenzel, a.a.O., S. 75
46 Ebd., S. 78
47 Brief an Agnes Hesse (25. Dezember 1917), Staatsbibliothek Berlin/DDR
48 Vgl. Kaufmann, a.a.O., S. 41
49 *Judenzählung vor Verdun*. In: «Die Schaubühne», 1917, S. 115–117
50 *Strucks «Ostjuden»*. In: «Vossische Zeitung» (29. Oktober 1918)
51 Martin Buber: «Drei Reden über das Judentum». Frankfurt a. M. 1911. S. 29
52 Brief an Martin Buber (17. November 1913), AZA
53 *Das Mittel des Geistes*. In: «Der Jude», 1916, S. 52f
54 Brief an Buber (26. April 1916), AZA
55 Brief an Buber (1. Januar 1916), AZA
56 Brief an Buber (5. Februar 1917), AZA
57 Brief an Buber (31. Oktober 1917), AZA
58 Brief an Buber (26. April 1916), AZA
59 Brief an Buber (27. Dezember 1917), AZA
60 Brief an Helene Weyl (16.–27. April 1917), AZA
61 Brief an Buber (1. Februar 1918), AZA
62 Ebd.
63 Ebd.
64 Wenzel, a.a.O., S. 82
65 *Lebensabriß*, S. 156
66 *Abdankung*. In: «Weltbühne», 1919, S. 54–56
67 *Grabrede auf Spartacus*. In: «Weltbühne», 1919, S. 75f
68 Wenzel, a.a.O., S. 20
69 Vgl. Kaufmann, a.a.O., S. 57
70 Brief an Buber (6. Juni 1919), AZA
71 Brief an Buber (3. April 1919), AZA
72 Brief an Helene Weyl (2. Januar 1919), AZA
73 Brief an Helene Weyl (26. Juli 1920), AZA
74 *Das ostjüdische Antlitz*. Berlin 1920. S. 9f. Vgl. hierzu auch seinen Aufsatz *Schweigen*. In: «Freie zionistische Blätter», 1921, S. 57
75 *Das ostjüdische Antlitz*, a.a.O., S. 24
76 Ebd., S. 30
77 Ebd., S. 53
78 Ebd., S. 26
79 Ebd., S. 74
80 Ebd., S. 98
81 Ebd.
82 Vgl. meinen Aufsatz «Juden in der Kultur der Weimarer Republik». In: «Juden in der Weimarer Republik». Hg. von Walter Grab und Julius H. Schoeps. Sachsenheim 1986. S. 20
83 Vgl. Steven E. Aschheim: «Brothers and Strangers. The East European Jew in German and German Jewish Consciousness. 1830–1923». Madison 1982. S. 199f
84 Vgl. Hans Peter Bayerdörfer: «Das Bild des Ostjuden in der deutschen Literatur». In: «Juden und Judentum in der deutschen Literatur». Hg. von Herbert A. Strauss und Christhard Hoffmann. München 1985. S. 231
85 *Die antisemitische Welle*. In: «Weltbühne», 1919, S. 381–385, 417–420, 442–446
86 Ebd., S. 382
87 Ebd., S. 384
88 Ebd., S. 446
89 *Der heutige Antisemitismus*. In: «Der Jude», 1920/21, S. 65–76, 129–139, 193–204, 264–280, 373–388, 451–458, 557–565, 621–633 und 137–151 im zweiten Halbband
90 Ebd., S. 196, 279, 375
91 Ebd., S. 629

92 Vgl. Manuel Wiznitzer: «Arnold Zweig. Das Leben eines deutsch-jüdischen Schriftstellers». Frankfurt a. M. 1983. S. 30
93 Vgl. Kaufmann, a. a. O., S. 68f
94 Zit. in ebd., S. 68
95 *Das neue Kanaan*. Berlin 1925. S. 6
96 Ebd., S. 15
97 Ebd., S. 11, 20
98 Ebd., S. 28
99 Ebd., S. 30
100 Brief an Helene Weyl (19. April 1919), AZA
101 Brief an Helene Weyl (Ende März 1923), AZA
102 *Das Theater im Volksstaate*. In: *Der Geist der neuen Volksgemeinschaft*. Berlin 1919. S. 135
103 Gotthold Ephraim Lessing: «Gesammelte Werke». Berlin 1923. S. XXI, XX, XXXIII, XXXVIII
104 Heinrich von Kleist: «Sämtliche Werke». München 1923. S. XLIX
105 Georg Büchner: «Sämtliche poetische Werke». München 1923. S. XXV
106 Vgl. hierzu allgemein Jost Hermand und Frank Trommler: «Die Kultur der Weimarer Republik». München 1978. S. 19f
107 *Juden auf der deutschen Bühne*. Berlin 1928. S. 22
108 Vgl. Kaufmann, a. a. O., S. 96
109 *Stehrs «Heiligenhof»*. In: «Hermann Stehr. Sein Werk und seine Welt». Hg. von Wilhelm Meridies. Habelschwerdt 1924. S. 66
110 Vgl. Wenzel, a. a. O., S. 134
111 Beatrice Zweig, a. a. O., S. 16
112 Vgl. Kaufmann, a. a. O., S. 112
113 *Antwort an Béla Balázs*. In: «Weltbühne», 1930, I, 618
114 Hilscher, a. a. O., S. 55
115 Vgl. Wenzel, a. a. O., S. 158
116 Alle diese Rezensionen sind wiederabgedruckt in: «Welt und Wirkung eines Romans. Zu Arnold Zweigs ‹Der Streit um den Sergeanten Grischa›». Hg. von Annie Voigtländer. Berlin und Weimar 1967. S. 21f
117 Ebd., S. 56
118 Ebd., S. 87, 91
119 Brief an Helene Weyl (25. Januar 1928), AZA
120 Wenzel, a. a. O., S. 184
121 Brief an Helene Weyl (18. Juli 1928), AZA
122 AZA
123 *Caliban oder Politik und Leidenschaft*. Potsdam 1927. S. 55
124 *Herkunft und Zukunft*. Wien 1929. S. 230
125 *Für das arbeitende Palästina*. In: «Weltbühne», 1929, S. 345
126 «Sigmund Freud/Arnold Zweig: Briefwechsel». Hg. von Ernst L. Freud. Frankfurt a. M. 1968. S. 9
127 Ebd., S. 10
128 Ebd., S. 11
129 Brief an Stefan Zweig (4. Januar 1932). Reed Library, State University College, Fredonia, New York
130 Vgl. Wenzel, a. a. O., S. 167
131 Ebd., S. 168
132 Vgl. Wiznitzer, a. a. O., S. 41
133 Wenzel, a. a. O., S. 80
134 «Freud–Zweig: Briefwechsel», S. 53
135 Brief an Helene Weyl (30. Dezember 1921), AZA
136 Brief an Beatrice (30. Dezember 1932), AZA
137 *Taschenkalender* (31. Dezember 1932), AZA
138 *Essays II*. Berlin/DDR 1967. S. 282
139 *Taschenkalender* (30. Januar 1933), AZA
140 Ebd. (18. Februar 1933), AZA
141 Ebd. (21. Februar 1933), AZA
142 Ebd. (28. Februar 1933), AZA
143 Brief an Arnold Zweig (2. April 1933), AZA
144 *Taschenkalender* (14. März 1933), AZA
145 *Freundschaft mit Freud*, S. 148, AZA

146 *Taschenkalender* (21. Mai 1933), AZA
147 Ebd. (28. Mai 1933), AZA
148 Ebd. (12. Juni 1933), AZA
149 Ebd. (17. Juni 1933), AZA
150 AZA, Nr. 926
151 AZA, Nr. 921
152 *Bilanz der deutschen Judenheit 1933*. Amsterdam 1934. S. 275, 289
153 Ebd., S. 154, 314
154 *Freundschaft mit Freud*, S. 156, AZA
155 Vgl. Marta Feuchtwanger: «Nur eine Frau. Jahre – Tage – Stunden». München 1983. S. 147
156 Brief an Marta Feuchtwanger (1. Dezember 1933). In: «Lion Feuchtwanger/Arnold Zweig: Briefwechsel 1933–1958». Hg. von Harald von Hofe. Berlin und Weimar 1984. I, S. 31
157 «Freud–Zweig: Briefwechsel» (21. Januar 1934), S. 67
158 Ebd. (21. Januar und 10. Februar 1934), S. 68, 74
159 Ebd. (23. April 1934), S. 84
160 Ebd. (16. Dezember 1934), S. 108
161 Ebd. (28. April 1934), S. 85
162 *Bilanz der deutschen Judenheit 1933*, a. a. O., S. 290f
163 «Freud–Zweig: Briefwechsel» (28. April 1934), S. 85f
164 Ebd. (15. Juli 1934), S. 96
165 Ebd. (18. Juli 1934), S. 95
166 Wenzel, a. a. O., S. 225
167 Vgl. *Wie das Schauspiel «Bonaparte in Jaffa» entstand*. In: «Früchtekorb», a. a. O., S. 175–178
168 «Freud–Zweig: Briefwechsel», S. 75
169 Ebd. (23. März 1934), S. 79
170 Ebd. (23. September 1935), S. 121
171 «Feuchtwanger–Zweig: Briefwechsel» (20. Juni 1935), I, S. 83
172 Bertolt Brecht (18. Februar 1937). In: Bertolt Brecht, «Briefe». Hg. von Günter Glaeser. Frankfurt a. M. 1981. S. 304
173 Vgl. «Kunst und Literatur im antifaschistischen Exil 1933–1945» Bd. 5. Leipzig 1980. S. 588
174 «Freud–Zweig: Briefwechsel», S. 119
175 Brief an Freud (7. Oktober 1935), AZA
176 Wenzel, a. a. O., S. 232
177 Brecht, a. a. O., S. 288
178 Brief an Georg Lukács (23. Juni 1937), AZA
179 «Feuchtwanger–Zweig: Briefwechsel», I, S. 122
180 Ebd., S. 139f
181 «Freud–Zweig: Briefwechsel», S. 130f
182 Ebd. (16. Juli 1936), S. 143
183 Ebd. (21. März 1937), S. 147
184 «Feuchtwanger–Zweig: Briefwechsel» (12. September 1937), I, S. 167
185 Brief an Benjamin W. Huebsch (20. Mai 1935), AZA
186 Benjamin W. Huebsch (14. Juli 1938), AZA
187 Wenzel, a. a. O., S. 255
188 Ebd., S. 256
189 Brief an Freud (23. Dezember 1936), AZA
190 *Versunkene Tage*. Amsterdam 1938. S. 240
191 «Feuchtwanger–Zweig: Briefwechsel» (27. Juni 1938), I, S. 193
192 *Freundschaft mit Freud*, S. 234, AZA
193 Brief an Helene Weyl (1. Mai 1938), AZA
194 Brief an Stefan Zweig (22. Januar 1939). Reed Library, State University College, Fredonia, New York
195 «Freud–Zweig: Briefwechsel» (6. Februar 1939), S. 183
196 Brief an Helene Weyl (12. Februar 1939), AZA
197 *Freundschaft mit Freud*, S. 238, AZA

198 Jürgen Kuczinsky: «Memoiren». Köln 1983. S. 303
199 Vgl. Wenzel, a. a. O., S. 274f
200 Ebd., S. 271
201 *Dialektik der Alpen*, S. 164f, AZA
202 Ebd., S. 178
203 Ebd., S. 176
204 Ebd., S. 173, 179
205 «Feuchtwanger–Zweig: Briefwechsel» (21. Januar 1941), I, S. 249
206 *Freundschaft mit Freud*, S. 239, AZA
207 Brief an Freud (Mitte 1938), AZA
208 *Inhaltsentwurf zu «Das Beil von Wandsbek»* (um 1939), AZA
209 Vgl. Hans-Albert Walter: «‹Im Anfang war die Tat›. Arnold Zweigs ‹Beil von Wandsbek›». Frankfurt a. M. 1986
210 «Feuchtwanger–Zweig: Briefwechsel» (30. April 1942), I, S. 253
211 Ebd. (28. März 1944), S. 290
212 Vgl. «Orient», 1942, Nr. 25, S. 3
213 Ebd., S. 3
214 Ebd., S. 5
215 «Orient», 1943, Nr. 7, S. 15
216 Ebd., Nr. 38, S. 8
217 «Orient», 1942, Nr. 13, S. 4 und Nr. 14, S. 5
218 «Feuchtwanger–Zweig: Briefwechsel» (20. Februar 1943), I, S. 278
219 Vgl. Wenzel, a. a. O., S. 297
220 «Feuchtwanger–Zweig: Briefwechsel» (28. März 1944), I, S. 290
221 Zit. in Einleitung zum Nachdruck des «Orient». Leipzig 1982. S. XI
222 Brief an Erich Weinert (1. August 1944). Wenzel, a. a. O., S. 302
223 «Feuchtwanger–Zweig: Briefwechsel» (4. Februar 1944), I, S. 284
224 Ebd. (17. Dezember 1947), I, S. 481
225 Vgl. Wenzel, a. a. O., S. 321
226 *Dramen*. Berlin/DDR 1962. S. 645
227 Wenzel, a. a. O., S. 327
228 «Feuchtwanger–Zweig: Briefwechsel» (3. Juni 1946), I, S. 371
229 Brief an Zweig (2. Juni 1947), AZA
230 Brief an Maximilian Müller-Jabusch (30. Juli 1947), AZA
231 Wenzel, a. a. O., S. 337
232 *Essays. Zweiter Band. Krieg und Frieden*. Frankfurt a. M. 1987. S. 282, 272, 262, 285
233 Brief an Katter (2. September 1949), AZA
234 «Feuchtwanger–Zweig: Briefwechsel» (2. April 1949), II, S. 12
235 Brief an Thomas Mann (16. Juli 1949), AZA
236 «Feuchtwanger–Zweig: Briefwechsel» (4. Mai 1950), II, S. 77
237 Ebd. (14. September 1950), II, S. 86
238 Ebd. (24. November 1950), II, S. 98
239 Vgl. *Sowjetisches Tagebuch 1952*. In: «Sinn und Form. Sonderheft Arnold Zweig», 1952, S. 220f
240 Vgl. Maritta Rost: «Bibliographie Arnold Zweig». Berlin–Weimar 1987. Nr. 4740–4771
241 «Feuchtwanger–Zweig: Briefwechsel» (26. November 1952), II, S. 187f
242 Ebd., II, S. 185
243 Ebd.
244 Ebd. (23. Mai 1949), II, S. 19
245 *Die Feuerpause*. Berlin/DDR 1954. S. 428
246 Ebd., S. 10
247 Ebd., S. 77, 226
148 Ebd., S. 377
249 «Feuchtwanger–Zweig: Briefwechsel» (12. November 1957), II, S. 300
250 In: «Sonntag» (10. November 1957), S. 5
251 «Feuchtwanger–Zweig: Briefwechsel» (11. Dezember 1957), II, S. 374
252 Brief an Zweig (2. März 1958), AZA

253 «Früchtekorb», a. a. O., S. 129
254 «Feuchtwanger–Zweig: Briefwechsel» (17. April 1956), II, S. 317
255 Ebd. (25. Juni 1956), II, S. 327
256 Ebd. (24. Januar 1953), II, S. 198
257 Ebd., II, S. 199
258 Ebd. (22. April 1958), II, S. 385
259 Vorwort zu *Freundschaft mit Freud* vom 12. Mai 1962. Vgl. Wenzel, a. a. O., S. 624
260 Beatrice Zweig, a. a. O., S. 16
261 Vgl. «Bibliographie Arnold Zweig», Nr. 5074–5212
262 Achim von Borries: «Nachwort zu Zweigs ‹Bilanz der deutschen Judenheit›». Köln 1961. S. 317
263 Vgl. hierzu meinen Aufsatz «Jetzt wohin? Arnold Zweigs ‹Bilanz der deutschen Judenheit›». In: «Arnold Zweig. Poetik, Judentum und Politik». Hg. von David Midgley, Hans-Harold Müller und Geoffrey Davis. Bern 1989. S. 202–218
264 *Die Vermenschlichung des Menschen*. In: «Aufbau», 1949, S. 314

Zeittafel

1887 Arnold Zweig wird am 10. November als Sohn des Spediteurs Adolf Zweig und seiner Frau Bianca van Spandow in Glogau (Schlesien) geboren

1896 Übersiedlung der Familie nach Kattowitz, wo Zweigs Vater ein Sattlergeschäft aufmacht

1897 Eintritt in die dortige Oberrealschule

1907 Beginn des Studiums in Breslau. Danach bis 1914 Student der Germanistik, Anglistik, Romanistik, Philosophie, Kunstwissenschaft und Psychologie an den Universitäten in München, Berlin, Rostock und Göttingen. 1912 Beginn der Freundschaft mit Helene Joseph (geb. 1893), die später den Mathematiker Hermann Weyl heiratet

1912 Erster literarischer Erfolg mit *Novellen um Claudia*. Durch die Werke Martin Bubers intensivere Bekanntschaft mit Problemen des Ostjudentums

1915 Kleist-Preis für das Drama *Ritualmord in Ungarn*. Ab 23. April Dienst in der deutschen Armee als Armierer in Belgien, Südungarn, Serbien und vor Verdun

1916 Am 5. Juli Eheschließung mit seiner Cousine Margarete Beatrice Zweig (geb. 1892) in Berlin

1917 Ab Juni als Redaktionsmitglied in der Presseabteilung des Oberbefehlshabers Ost. Beginn der Freundschaft mit Hermann Struck

1919 Entscheidung zum freien Schriftsteller. Nach kurzem Studienaufenthalt in Tübingen fester Wohnsitz in Starnberg bei München

1920 Geburt des Sohnes Michael

1923 Wegen antisemitischer Ausschreitungen in Starnberg Übersiedlung nach Berlin, wo Zweig vorübergehend Redakteur der zionistischen «Jüdischen Rundschau» und ständiger Mitarbeiter der «Weltbühne» wird

1924 Erste psychoanalytische Behandlung. Geburt des Sohnes Adam

1926 Mitglied des PEN-Clubs und der Gesellschaft der Freunde des neuen Rußland. Verstärkte Sehbehinderungen, welche die Hilfe einer Sekretärin unerläßlich machen

1927 Welterfolg mit dem Roman *Der Streit um den Sergeanten Grischa*

1929 Beginn der Freundschaft mit Sigmund Freud, dem er 1927 das Buch *Caliban oder Politik und Leidenschaft* gewidmet hatte. Zweig wird für ein Jahr Vorsitzender des Schutzverbandes Deutscher Schriftsteller. Anfang der engen Zusammenarbeit mit Lily Offenstadt

1930 Uraufführung des *Grischa*-Dramas in Berlin

1932 Reise nach Palästina, dem Libanon und Ägypten. Verstärkter publizistischer Einsatz gegen die faschistische Gefahr in Deutschland

1933 Zweig verläßt am 14. März Berlin. Emigration über Prag, Wien, die Schweiz und Oberitalien nach Sanary-sur-Mer, wo er in der Nähe Feuchtwangers wohnt und die *Bilanz der deutschen Judenheit 1933* diktiert. Zusammentreffen mit Thomas und Heinrich Mann, Bertolt Brecht, Friedrich Wolf, Ernst Toller u. a. In Berlin gelingt es Lily Offenstadt und Hans Leuchter, Teile seiner von den Nazis beschlagnahmten Manuskripte zu retten. Im Dezember Übersiedlung nach Palästina

1934 Erneute psychoanalytische Behandlung in Haifa, die später von Dr. Max Eitingon in Jerusalem fortgesetzt wird

1936 Aberkennung der deutschen Staatsbürgerschaft. Nach Erhalt eines palästinensischen Passes erste Rückkehr nach Europa. Wird Mitglied des vorbereitenden deutschen Volksfrontausschusses

1939 Teilnahme am Internationalen PEN-Club-Kongreß in New York. Empfang bei Franklin D. Roosevelt im Weißen Haus. Zusammentreffen mit Thomas Mann, Albert Einstein und Ernst Toller. Auf der Rückreise letzter Besuch bei Freud in London

1941 Mitbegründer der «Liga V (Victory)» zur Unterstützung der von den Nazitruppen überfallenen Sowjetunion

1942 Zweig gründet mit Wolfgang Yourgrau das deutschsprachige antifaschistische Wochenblatt «Orient», dessen Erscheinen jedoch von zionistischen Rechtsextremisten immer wieder verhindert wird und das 1943 eingestellt werden muß

1943 *Das Beil von Wandsbek* und *Der Spiegel des großen Kaisers* kommen als erste Bücher Zweigs seit 1933 auf hebräisch heraus

1948 Durch Vermittlung Louis Fürnbergs und Johannes R. Bechers Möglichkeit zur Rückkehr über Prag nach Berlin. Beginn der zwanzigjährigen Zusammenarbeit mit Ilse Lange. Unermüdliche Teilnahme am kulturellen und politischen Aufbau. Schwere psychische Störungen seiner Frau, die ihre Aversionen gegen den «Mörderstaat» Deutschland erst nach intensiver ärztlicher Behandlung überwinden kann

1949 Als Vertreter der Kulturbundfraktion wird Zweig Abgeordneter der Volkskammer der DDR

1950 Auszeichnung mit dem Nationalpreis 1. Klasse. Zweig wird erster Präsident der Deutschen Akademie der Künste in Berlin

1952 Reise in die Sowjetunion zu den Gogol-Feiern. Sonderheft «Arnold Zweig» der Zeitschrift «Sinn und Form». Am 9. und 10. November große offizielle Feiern anläßlich seines 65. Geburtstags in Berlin. Verleihung der Ehrendoktorwürde durch die Universität Leipzig

1953 Niederlegung des Präsidentenamtes der Deutschen Akademie der Künste und stärkere Konzentration auf seine literarischen Arbeiten

1957 Zweig wird Präsident des Deutschen PEN-Zentrums von Ost und West

1958 Zweite Reise in die Sowjetunion. Auszeichnung mit dem Lenin-Friedenspreis in Moskau

1962 Verleihung des Professorentitels und des Vaterländischen Verdienstordens anläßlich seines 75. Geburtstags

1967 Abschluß der sechzehnbändigen Ausgabe seiner Werke beim Aufbau-Verlag. Nochmals großer Festakt im Deutschen Theater anläßlich seines 80. Geburtstags

1968 Arnold Zweig stirbt am 26. November in Berlin. Beisetzung auf dem Dorotheenstädtischen Friedhof

Zeugnisse

Robert Neumann
Dieses Buch von der getretenen Kreatur, dieses Buch vom Kriege, dieses Buch von Recht und Unrecht ist in hohem Maße ein Buch vom deutschen Juden.

Über den «Grischa», 1928

Emanuel Bin Gorion
In dem Buch ist, kurz gesagt, auch nicht ein einziger Strich wahr und echt. Es rangiert tief unter aller Schundliteratur.

Über den «Grischa», 1929

von B.
Das jüdische Volk hat das große Glück, immer Stimmen unter den seinen zu zählen, die so meisterlich zersetzend zu den unterdrückten Wirtsvölkern in deren Zunge zu reden verstehen, wie Arnold Zweig in der deutschen.

«Deutsches Adelsblatt», 1929

Sigmund Freud
Von den vielen Glückwünschen, die mir der Goethepreis eingetragen, hat mich keiner so ergriffen wie der, den Sie Ihren schlimmen Augen abgerungen haben – und dies offenbar, weil ich in kaum einem anderen Falle so sicher fühle, daß meine Sympathie auf treue Erwiderung trifft.

Brief an Zweig vom 21. August 1931

Hermann Pongs
Das kunstvollste, überlegenste und verhüllteste Gebilde des Ressentiments, gerichtet gegen den deutschen Militarismus überhaupt, entstammt der alten, ichbewußten Rachsucht des Juden: Arnold Zweigs Roman «Streit um den Sergeanten Grischa».

«Krieg als Volksschicksal im deutschen Schrifttum». 1934

Lion Feuchtwanger
Zweig hat Tragödien und Lustspiele geschrieben, historische und zeitgenössische Stücke, große und kleine Romane, zahllose kleine Geschich-

ten, Einakter, unzählige Essays, literarische, politische, biographische, er hat Gedichte geschrieben und übersetzt, hat viele Reden gehalten und veröffentlicht. Zweig hat eine strömende Phantasie und eine sehr leichte Hand... Zweig ist einer der wenigen großen Erzähler der Deutschen; die Kunst des Fabulierens, so wenigen von ihnen verliehen, ist ihm eingeboren.

1937 und 1945

Bertolt Brecht
Mir schien immer, daß aus Zweigs Romanen viel zu lernen sei, da er selbst viel gelernt hat. Da ist die Erfindung oder Herausschälung einer Fabel, die langsame und bedachte Enthüllung ihrer Bedeutung, da ist das graziöse Spiel mit den Ängsten und Hoffnungen des Lesers, da sind die eingestreuten Meinungen allgemeiner Art des Erzählers, bei Zweig fast immer in heiterer Haltung geäußert. Es ist ein ganzer Lehrgang, und ein amüsanter, bis herunter zu einigen Fingerzeigen, was zuerst erzählt werden muß und was nachher, was kurz, was ausführlich, was nebenbei, was mit Gewicht.

In: «Sinn und Form», 1952

Paul Rilla
Nichts Besseres kann über Arnold Zweig gesagt werden, als daß er mit seiner gesellschaftlichen Erkenntnis von den nationalen Aufgaben der Literatur und mit seiner Verwirklichung des Begriffs einer Nationalliteratur weit vorgeschritten ist auf dem Wege, der von der kritisch gemusterten bürgerlichen Zeit in die sozialistisch zu bemeisternde Gegenwart führt. Er steht mit dem Gesicht nach vorn. Und er steht mitten unter uns.

In: «Sinn und Form», 1952

Ernst von Salomon
Arnold Zweig klagt Preußen an, aus Liebe, aus Trauer um Preußens Untergang, ein letzter Versuch, in der Klage wenigstens, mochte der Staat Preußen untergegangen sein, den Geist Preußens hinüberzuretten, Preußens ewiges Genie, seine weltliche Tapferkeit, die Sauberkeit seiner Gesinnung, die Nüchternheit der produktiven Armut – und endlich die Größe der Forderung an den Einzelnen, die Strenge gegen sich selbst, hinüberzuretten in die kommenden Ordnungen, in die eine, in der er die Kraft der Zukunft sieht, und die von allen in eben der strengen Forderung an den Einzelnen und in der vollendeten Humanitas nach vollendetem Sieg derjenigen Preußens am nächsten steht.

In: «Arnold Zweig. Ein Almanach». 1962

Stefan Heym
Dieser kleine, feingliedrige Herr ruht nicht auf seinem Ruhme, noch legt er auf Rentenbezüge besonderen Wert. Er arbeitet. In einem alten, grü-

nen Trainingsanzug an einem zerkratzten Schreibtisch sitzend oder auf einer schmalen Couch liegend, diktiert Zweig, regelmäßig, jeden Vormittag sein Pensum. Nur so werden die Bücher, nur so wächst das Werk.

In: «Arnold Zweig. Ein Almanach». 1962

Ernst Kamnitzer
Nie spielt er den strengen oder kalten, geschweige denn den grausamen Richter. Ihm liegt vielmehr, zu bejahen und zu helfen, als abzulehnen und zu verwunden. Vorliebe für Widerspruch und Lust am Einwand sind ihm fremd, und sein Wohlwollen ist manchmal größer, als der andere verdient.

«Über Schriftsteller». 1967

Hans-Albert Walter
Den vier Hauptwerken des Grischa-Zyklus, *De Vriendt kehrt heim* und dem *Beil von Wandsbek* eignet, was Walter Benjamin Brechts «Fünf Schwierigkeiten beim Schreiben der Wahrheit» attestiert hatte – die unbegrenzte Konservierbarkeit klassischer Schriften. Sie haben also Zeit vor sich, viel Zeit. Nur wir versäumen etwas.

«Vom Elend der Zweig-Rezeption». 1987

ZEICHEN DER ZEIT

1887

Arnold Zweig wird geboren,
ebenso die Dichter Ernst Wiechert . . .

... und Walter Flex, der Maler Marc Chagall und der russische Bildhauer der «absoluten» Plastik Aleksandr Archipenko.

In Berlin wird die AEG gegründet, Daimler stellt einen vierrädrigen Kraftwagen mit Benzinmotor vor, die Krupp-Werke haben schon 21000 Beschäftigte.

Stanley befreit Emin Pascha in Ostafrika, in Südafrika wird die Stadt Johannesburg gegründet. Den Pfandbrief gibt es seit 118 Jahren.

Bibliographie

Wegen der geradezu unübersehbaren Fülle der Zweigschen Publikationen werden unter «Erstausgaben» nur Schriften angeführt, die in Buchform erschienen sind. Teil- oder Gesamtverzeichnisse seiner anderen Veröffentlichungen sowie der Schriften in seinem Nachlaß finden sich in der Rubrik «Werkverzeichnisse, Bibliographien und andere Hilfsmittel». In die Liste der «Sekundärliteratur» wurden nur wissenschaftliche Beiträge aufgenommen, während allgemeine Würdigungen, Jubiläumsbeiträge und Grußadressen aus Raumgründen wegbleiben mußten. Die Anordnung innerhalb der einzelnen Rubriken ist chronologisch.

1. Werkverzeichnisse, Bibliographien und andere Hilfsmittel

Arnold-Zweig-Bibliographie. Zusammengestellt von Hubertus Römer, Werner Heidrich und Ilse Lange. In: Sinn und Form, 1952, Sonderheft Arnold Zweig, S. 280–301

Zotomiskaja, Zinaida V.: Arnold Zweig. Ein bio-bibliographisches Handbuch. Moskau 1961

Welt und Wirkung eines Romans. Zu Arnold Zweigs «Der Streit um den Sergeanten Grischa». Ausgewählt von Annie Voigtländer. Berlin und Weimar: Aufbau-Verlag 1967

Riedel, Volker: Orient. Haifa. 1942–1943. Bibliographie einer Zeitschrift. Mit einem Nachwort von Rudolf Hirsch. Berlin und Weimar: Aufbau-Verlag 1973

Artikel von Arnold Zweig nach 1948. In: Geoffrey V. Davis, Arnold Zweig in der DDR. Bonn: Bouvier 1977. S. 303–317

Arnold Zweig 1887–1968. Werk und Leben in Dokumenten und Bildern. Mit unveröffentlichten Manuskripten und Briefen aus dem Nachlaß. Hg. von Georg Wenzel. Berlin und Weimar: Aufbau-Verlag 1978

Findbuch des literarischen Nachlasses von Arnold Zweig (1887–1968). Bearbeitet von Ilse Lange. 2 Bde. Berlin/DDR: Akademie der Künste 1983

Arnold Zweig. Biobibliographie. Hg. von N. I. Lopatina und Maritta Rost. Moskau und Leipzig: Staatliche Allunionsbibliothek für ausländische Literatur und Deutsche Bücherei 1983

Arnold Zweig: «Der Streit um den Sergeanten Grischa». Hg. von Rudolf Wolff. Bonn: Bouvier 1986

Rost, Maritta: Bibliographie Arnold Zweig. Unter Mitarbeit von Jörg Armer, Rosemarie Geist und Ilse Lange. 2 Bde. Berlin/DDR und Leipzig: Deutsche Akademie der Künste und Deutsche Bücherei 1987

2. Werkausgaben

Ausgewählte Werke in Einzelausgaben. Berlin/DDR: Aufbau-Verlag 1957–1967. 16 Bände
Nachdruck dieser Ausgabe in 15 Bänden. Frankfurt a. M.: Fischer Taschenbuch Verlag 1985–1988

3. Erstausgaben

Der Englische Garten. Sonette. München: Hyperion 1910
Aufzeichnungen über eine Familie Klopfer. Das Kind. Zwei Erzählungen. München: Langen 1911
Die Novellen um Claudia. Ein Roman. Leipzig: Wolff 1912
Abigail und Nabal. Tragödie in drei Akten. Leipzig: Rowohlt 1913
Die Bestie. Erzählungen. München: Langen 1914
Ritualmord in Ungarn. Jüdische Tragödie in fünf Aufzügen. Berlin: Hyperion 1914
Geschichtenbuch. München: Langen 1916
Benarône. Eine Geschichte. München: Roland-Verlag 1918
Die Sendung Semaels. Jüdische Tragödie in fünf Akten. Leipzig: Wolff 1918 [Veränderte Neufassung von: Ritualmord in Ungarn]
Das ostjüdische Antlitz. Zu fünfzig Steinzeichnungen von Hermann Struck. Berlin: Welt-Verlag 1920
Entrückung und Aufruhr. Zwölf Gedichte. Berlin: Tiedemann und Uzielli 1920
Drei Erzählungen. Berlin: Welt-Verlag 1920
Georg Büchner: Sämtliche poetische Werke, nebst einer Auswahl seiner Briefe [Hg.]. München: Rösl & Cie. 1923
Heinrich von Kleist: Sämtliche Werke [Hg.]. München: Rösl & Cie. 1923
Gotthold Ephraim Lessing: Gesammelte Werke [Hg.]. Berlin: Tillgner 1923
Gerufene Schatten. Mit Steinzeichnungen von Klaus Richter. Berlin: Tillgner 1923
Söhne. Das zweite Geschichtenbuch. München: Langen 1923
Frühe Fährten. Berlin: Spaeth 1925
Das neue Kanaan. Eine Untersuchung über Land und Geist zu 15 Steinzeichnungen von Hermann Struck. Berlin: Horodisch & Marx 1925
Lessing, Kleist, Büchner. Drei Versuche. Berlin: Spaeth 1925
Regenbogen. Erzählungen. Berlin: Spaeth 1925
Die Umkehr des Abtrünnigen. Schauspiel. Darmstadt: Soncino Gesellschaft 1925
Der Spiegel des großen Kaisers. Novelle. Potsdam: Kiepenheuer 1926
Caliban oder Politik und Leidenschaft. Versuch über die menschlichen Gruppenleidenschaften, dargetan am Antisemitismus. Potsdam: Kiepenheuer 1927
Der Streit um den Sergeanten Grischa. Roman. Potsdam: Kiepenheuer 1927
Juden auf der deutschen Bühne. Berlin: Welt-Verlag 1928
Pont und Anna. Potsdam: Kiepenheuer 1928
Herkunft und Zukunft. Zwei Essays zum Schicksal unseres Volkes. Wien: Phaidon 1929
Oscar Wilde: Werke [Hg.]. Berlin: Knaur 1930
Laubheu und keine Bleibe. Schicksalskomödie. Potsdam: Kiepenheuer 1930
Die Aufrichtung der Menorah. Berlin: Aldus 1930
Junge Frau von 1914. Roman. Berlin: Kiepenheuer 1931

Knaben und Männer. Berlin: Kiepenheuer 1931
Mädchen und Frauen. 14 Erzählungen. Berlin: Kiepenheuer 1932
De Vriendt kehrt heim. Roman. Berlin: Kiepenheuer 1932
Spielzeug der Zeit. Erzählungen. Amsterdam: Querido 1933
Bilanz der deutschen Judenheit 1933. Ein Versuch. Amsterdam: Querido 1934
Erziehung vor Verdun. Roman. Amsterdam: Querido 1935
Einsetzung eines Königs. Roman. Amsterdam: Querido 1937
Versunkene Tage. Roman aus dem Jahre 1908. Amsterdam: Querido 1938
The Living Thoughts of Spinoza [Hg.]. New York–Toronto: Longmans, Green and Co. 1939
Haquardōm sel Wandsbēq. Tel Aviv: Worker's Book Guild 1943
Ein starker Esser. Wien: Verkauf 1947
Das Beil von Wandsbek. Stockholm: Neuer Verlag 1947
Allerleihrauh. Geschichten aus dem gestrigen Zeitalter. Berlin: Aufbau-Verlag 1949
Frühe Fährten. Geschichten von Kindern und jungen Leuten. Halle: Mitteldeutscher Verlag 1949
Lion Feuchtwanger: Auswahl [Hg.]. Rudolstadt: Greifen-Verlag 1949
Die Kulturschaffenden und der Kampf um den Frieden. Berlin: Kulturbund zur demokratischen Erneuerung Deutschlands 1949
Stufen. Fünf Erzählungen aus der Übergangszeit. Berlin: Kantorowicz 1949
Über den Nebeln. Eine Tatra-Novelle. Halle: Mitteldeutscher Verlag 1950
Hilde Huppert: Fahrt zum Acheron [Hg.]. Berlin/DDR: VVN-Verlag 1951
Der Elfenbeinfächer. Ausgewählte Novellen. Berlin/DDR: Aufbau-Verlag 1952
Westlandsaga. Erzählung. Berlin/DDR: Rütten & Loening 1952
Die Feuerpause. Roman. Berlin/DDR: Aufbau-Verlag 1954
Der Regenbogen. Ausgewählte Novellen. Berlin/DDR: Aufbau-Verlag 1955
Soldatenspiele. Drei dramatische Historien. Berlin/DDR: Aufbau-Verlag 1956
Früchtekorb. Jüngste Ernte. Aufsätze. Rudolstadt: Greifen-Verlag 1956
Die Zeit ist reif. Roman. Berlin/DDR: Aufbau-Verlag 1957
Fünf Romanzen. Berlin/DDR: Aufbau-Verlag 1958
Essays. Bd. 1. Literatur und Theater. Berlin/DDR: Aufbau-Verlag 1959
Novellen. Erster und Zweiter Band. Berlin/DDR: Aufbau-Verlag 1961
Traum ist teuer. Roman. Berlin/DDR: Aufbau-Verlag 1962
12 Novellen. Leipzig: Reclam 1962
Symphonie Fantastique. Zwei Novellen. Leipzig: Insel-Verlag 1963
Dramen. Berlin/DDR: Aufbau-Verlag 1963
Jahresringe. Gedichte und Spiele. Berlin und Weimar: Aufbau-Verlag 1964
Was der Mensch braucht. Erzählungen. Leipzig: Reclam 1967
Essays. Bd. 2. Aufsätze zu Krieg und Frieden. Berlin und Weimar: Aufbau-Verlag 1967
Über Schriftsteller. Hg. von Heinz Kamnitzer. Berlin und Weimar: Aufbau-Verlag 1967

4. Briefe

Sigmund Freud. Arnold Zweig: Briefwechsel. Hg. von Ernst L. Freud. Frankfurt a. M.: S. Fischer 1968
Der Briefwechsel zwischen Louis Fürnberg und Arnold Zweig. Dokumente einer

Freundschaft. Hg. von Rosemarie Poschmann und Gerhard Wolf. Berlin und Weimar: Aufbau-Verlag 1978
Lion Feuchtwanger. Arnold Zweig: Briefwechsel 1933–1958. 2 Bde. Hg. von Harald von Hofe. Berlin und Weimar: Aufbau-Verlag 1984
Döblin, Alfred/Zweig, Arnold: Briefwechsel. In: Neue deutsche Literatur 26, 1986, H. 7, S. 134–143

5. Sekundärliteratur

Goldstein, Moritz: Arnold Zweig. In: Juden in der deutschen Literatur. Hg. von Gustav Krojanker. Berlin 1922. S. 241–250
Fishman, Solomon: The War Novels of Arnold Zweig. In: Swanee Review 49, 1941, S. 433–451
Pfeiler, William K.: Arnold Zweig. In: War and the German Mind. New York 1941. S. 129–139
Lukács, Georg: Arnold Zweigs Romanzyklus über den imperialistischen Krieg 1914–1918. In: Lukács, Schicksalswende. Berlin 1948. S. 277–313
Rilla, Paul: Heimatliteratur oder Nationalliteratur? In: Sinn und Form, 1952, Sonderheft Arnold Zweig, S. 123–145
Mayer, Hans: Der Grischa-Zyklus. In: Ebd., S. 203–219
Cwojdrak, Günther: Der russische Lehrtrank. Rußland und die Oktoberrevolution in Arnold Zweigs Romanzyklus über den Ersten Weltkrieg. In: Neue deutsche Literatur, 1952, Heft 11, S. 163–173
Rudolph, Johanna: Der Humanist Arnold Zweig. Ein Versuch. Berlin/DDR 1955
Schneider, Rolf: Das novellistische Werk Arnold Zweigs. In: Aufbau 12, 1956, S. 273–277
Arnold Zweig zum siebzigsten Geburtstag. Eine Festschrift. Hg. von der Akademie der Künste. Berlin/DDR 1957
Nitsche, H.: «Der Streit um den Sergeanten Grischa» und der Weg zur deutschen Novemberrevolution. In: Wissenschaftliche Zeitschrift der Universität Leipzig 7, 1957/58, S. 627–632
Rühle, Jürgen: Die Kunst des inneren Vorbehalts. In: Monat, 1958, S. 67–74
Huys, Paul: Arnold Zweig – der Mensch, der Jude, der Dichter. Gent 1959
Kamnitzer, Heinz: Arnold Zweig in War and Peace. In: Mainstream 12, 1959, S. 17–26
Bernhard, Hans-Joachim: Die Entwicklung des kritischen Realismus Arnold Zweigs im Lichte der proletarischen Gestalten seines Grischazyklus. In: Wissenschaftliche Zeitschrift der Universität Rostock 9, 1959/60, S. 61–66
Toper, Pavel: Arnold Zweig. Moskau 1960
Hilscher, Eberhard: Der Dramatiker Arnold Zweig. In: Weimarer Beiträge 6, 1960, S. 1–25
Kaufmann, Eva: Arnold Zweigs Auseinandersetzung mit dem Wesen des Krieges und der Perspektive des Friedens im Zyklus «Der große Krieg der weißen Männer». In: Frieden – Krieg – Militarismus im kritischen und sozialistischen Realismus. Berlin/DDR 1961. S. 111–138
Arnold Zweig. Ein Almanach. Hg. von der Akademie der Künste. Berlin/DDR 1962

HILSCHER, EBERHARD: Notizen zu Arnold Zweigs Biographie und Frühwerk. In: Neue deutsche Literatur 10, 1962, S. 10–15
RUDOLPH, JOHANNA: Arnold Zweig. Berlin/DDR 1962
REICH-RANICKI, MARCEL: Der preußische Jude Arnold Zweig. In: REICH-RANICKI, Deutsche Literatur in Ost und West. München 1963. S. 305–342
GROSSE, ANNELIESE: Der Weg des Intellektuellen an die Seite der Arbeiterklasse. Zu Arnold Zweigs Roman «Traum ist teuer». In: Literatur im Blickpunkt. Hg. von ARNO HOCHMUTH. Berlin/DDR 1965. S. 186–207
KAUFMANN, HANS: Arnold Zweig und Lion Feuchtwanger. Dramatische Bemühung und epische Leistung. In: KAUFMANN, Krisen und Wandlungen der deutschen Literatur von Wedekind bis Feuchtwanger. Berlin und Weimar 1966. S. 441–469
WOLF, GERHARD: Zum Briefwechsel Lion Feuchtwanger und Arnold Zweig. In: Weimarer Beiträge 13, 1967, S. 355–370
BAUM, HANS-WERNER: Arnold Zweig. Leben und Werk. Berlin/DDR 1967
KAUFMANN, EVA: Arnold Zweigs Weg zum Roman. Vorgeschichte und Analyse des Grischa-Romans. Berlin/DDR 1967
KAMNITZER, HEINZ: Arnold Zweig. Frage und Antwort 1918–1933. In: Neue deutsche Literatur 15, 1967, 6–32
HILSCHER, EBERHARD: Arnold Zweig. Leben und Werk. Berlin/DDR 1967 [7. Aufl. 1985]
KAHN, LOTHAR: Arnold Zweig. From Zionism to Marxism. In: Mirrors of the Jewish Mind. New York 1968. S. 194–209
WALTER, HANS-ALBERT: Auf dem Wege zum Staatsroman. Arnold Zweigs Grischa-Zyklus. In: Frankfurter Hefte 23, 1968, S. 564–574
GROSSE, ANNELIESE: Dichtung als Suche nach dem Sinn des Lebens und der Geschichte. Zur ästhetischen Position Arnold Zweigs. In: Positionen. Hg. von WERNER MITTENZWEI. Leipzig 1969. S. 210–279
TOPER, PAVEL: Die Oktoberrevolution und das Schaffen Arnold Zweigs. In: Weimarer Beiträge 17, 1971, H. 6, S. 148–158
BADMAJEWA, N.: Arnold Zweig in der sowjetischen Kritik. In: Weimarer Beiträge 18, 1972, S. 156–160
KAMNITZER, HEINZ: Die Wandlungen des Arnold Zweig. Zionismus, Psychoanalyse, Sozialismus. In: Kürbiskern, 1972, S. 106–122
Arnold Zweigs Lebensstationen: Vorkrieg. In: Neue deutsche Literatur 20, 1972, S. 98–115
RADDATZ, FRITZ J.: Zwischen Freud und Marx: Arnold Zweig. In: RADDATZ, Traditionen und Tendenzen. Materialien zur Literatur der DDR. Frankfurt a. M. 1972. S. 279–300
VORMWEG, HEINRICH: Gerechtigkeit über sich fühlend. Arnold Zweigs Roman «Das Beil von Wandsbek». In: Deutsche Exilliteratur 1933–1945. Hg. von MANFRED DURZAK. Stuttgart 1973. S. 326–334
KAMNITZER, HEINZ: Im Fegefeuer. In: Neue deutsche Literatur 21, 1973, S. 89–115
KESSLER, PETER: Probleme des Romanschaffens von Arnold Zweig und der Realismus L. N. Tolstois. In: Zeitschrift für Slawistik 18, 1973, S. 346–356
HAPP, JÜRGEN: Arnold Zweig: «Der Streit um den Sergeanten Grischa». Stockholm 1974
SCHEIBE, FRIEDRICH CARL: Der Kriegsroman als optimistische Tragödie. Über Ar-

nold Zweigs «Der Streit um den Sergeanten Grischa». In: Literaturwissenschaftliches Jahrbuch der Görres-Gesellschaft NF 15, 1974, S. 221–236

KAMNITZER, HEINZ: Der Tod des Dichters. Berlin/DDR 1974

Arnold Zweig. Weg und Ziel nach 1933. In: Neue deutsche Literatur 27, 1974, H. 4, S. 29–43

DAVIS, GEOFFREY V.: Arnold Zweig in der DDR. Entstehung und Bearbeitung der Romane «Die Feuerpause», «Das Eis bricht» und «Traum ist teuer». Bonn 1977

WENZEL, GEORG: Blick auf Deutschland aus dem Exil. Arnold Zweig: «Das Beil von Wandsbek». In: Erfahrung Exil. Antifaschistische Romane. Hg. von SIGRID BOCK und MANFRED HAHN. Berlin/DDR 1979. S. 375–393, 465–467

SCHROEDER-KRASSNOW, SABINE: The Changing View of Abortion: A Study of Friedrich Wolf's «Cyancali» and Arnold Zweig's «Junge Frau von 1914». In: Studies in Twentieth Century Literature 4, 1979/80, S. 33–47

WERTHEIM, URSULA: Zeitdokument und poetisches Vermächtnis. Gedanken bei der Lektüre des Briefwechsels zwischen Louis Fürnberg und Arnold Zweig. In: Neue deutsche Literatur 28, 1980, H. 5, S. 25–43

LANGE, ILSE: Der literarische Nachlaß Arnold Zweigs. In: Zeitschrift für Germanistik 1, 1980. S. 467–471

MIDGLEY, DAVID R.: Zur Bedeutung Max Schelers für die Entwicklung Arnold Zweigs. In: Akten des 6. Internationalen Germanisten-Kongresses, Bern 1980, Bd. 4, S. 486–491

WETZEL, HEINZ: War and the Destruction of Moral Principles in Arnold Zweig's «Der Streit um den Sergeanten Grischa» and «Erziehung vor Verdun». In: First World War in German Narrative Prose. Hg. von CHARLES N. GENNO und HEINZ WETZEL. Toronto 1980. S. 50–70

MIDGLEY, DAVID R.: Arnold Zweig. Zu Werk und Wandlung 1927–1948. Königstein 1980

ARMER, JÖRG: Anmerkungen zu einer Arnold-Zweig-Bibliographie. In: Zeitschrift für Germanistik 2, 1981, S. 182–186

HERMAND, JOST: «Was für Schicksale uns bürgerliche Menschen überfallen». Arnold Zweigs «Das Beil von Wandsbek». In: Faschismuskritik und Deutschlandbild im Exilroman. Hg. von CHRISTIAN FRITSCH und LUTZ WINCKLER. Berlin/West 1981. S. 131–151

POMERANZ CARMELY, KLARA: Arnold Zweig. In: Das Identitätsproblem jüdischer Autoren im deutschen Sprachraum von der Jahrhundertwende bis Hitler. Königstein 1981. S. 75–80, 114–131

PAZI, MARGARITA: Arnold Zweig – der Weg zurück in die Homeyerstraße. In: Arbeitskreis Heinrich Mann. Mitteilungsblatt, 1981, S. 225–237

WALTER, HANS-ALBERT: Die Geschäfte des Herrn Albert Teetgen. Das faschistische Deutschland in Arnold Zweigs Exilroman «Das Beil von Wandsbek». In: Frankfurter Hefte 36, 1981, H. 4, S. 49–62

BRELOER, HEINRICH, und HORST KÖNIGSTEIN: Blutgeld. Materialien zu einer deutschen Geschichte. Köln 1982

RIEDEL, VOLKER: Zum Reprint der Zeitschrift «Orient». In: Mitteilungen der Deutschen Akademie der Künste 20, 1982, H. 6, S. 17–20

DAVIS, GEOFFREY V.: «Wie der Schriftsteller Bertin fürchtete, zu spät zum Weltkrieg zu kommen». Arnold Zweig's Novel «Die Zeit ist reif». In: Studies in GDR Culture and Society 3, 1983, S. 161–178

Wiznitzer, Manuel: Arnold Zweig. Das Leben eines deutsch-jüdischen Schriftstellers. Königstein 1983

Wehlitz, Ursula: Die Nachlaßbibliothek Arnold Zweigs. In: Mitteilungen der Deutschen Akademie der Künste 21, 1983, S. 14–16

Wolf, Arie: Arnold Zweigs Ostjudenbild. In: Bulletin des Leo-Baeck-Instituts, Nr. 67, 1984, S. 15–40

Lange, Ilse: Wichtige Einblicke auch in publizistisches Schaffen. Das Arnold-Zweig-Archiv der Akademie der Künste der DDR. In: Börsenblatt Leipzig 1951, 1984, 117–120

Dahlke, Hans: Treue bewahrte Freundschaft, interkontinental. Lion Feuchtwanger und Arnold Zweig im Briefwechsel. In: Weimarer Beiträge 30, 1984, S. 282–286

Schönert, Jörg: «...mehr als die Juden weiß von Gott und der Welt doch niemand». Zu Arnold Zweigs Roman «Der Streit um den Sergeanten Grischa». In: Im Zeichen Hiobs. Jüdische Schriftsteller und deutsche Literatur im 20. Jahrhundert. Hg. von Gunter E. Grimm und Hans-Peter Bayerdörfer. Königstein 1985. S. 223–242

Walter, Hans-Albert: «Im Anfang war die Tat». Arnold Zweigs «Das Beil von Wandsbek». Roman einer Welt – Welt eines Romans. Frankfurt a. M. 1986

Lange, Ilse: Zum Bestand der Korrespondenz im Arnold-Zweig-Archiv. In: Mitteilungen der Akademie der Künste der DDR 14, 1986, H. 1, S. 8–9

Arnold Zweig. Materialien zu Leben und Werk. Hg. von Wilhelm von Sternburg. Frankfurt a. M. 1987

Kändler, Klaus: Arnold Zweigs «Spiel vom Sergeanten Grischa». In: Weimarer Beiträge, 1987, H. 11, S. 1852–1864

Schiller, Dieter: Arnold Zweigs Exilschaffen. In: Weimarer Beiträge, 1987, H. 11, S. 1835–1851

Kähler, Hermann: Der Dichter und der Psychologe. Eine Freundschaft zwischen zwei Kriegen. In: Sinn und Form 39, 1987, S. 1147–1164

Midgley, David: Zwischen Monumentalität und Aktualität. Zu den Exilromanen Arnold Zweigs und Lion Feuchtwangers. In: Exil. Sonderband 1, 1987, S. 84–93

Davis, Geoffrey V.: Arnold Zweig im palästinensischen Exil. In: Exil. Sonderband 1, 1987, S. 14–33

Wolf, Arie: «Ein Schriftsteller nimmt Urlaub». Arnold Zweigs Abschiedsschreiben aus Israel. In: Exilforschung 6, 1988, S. 230–239

Hermand, Jost: Arnold Zweigs Judentum. In: Jüdische Intelligenz in Deutschland. Hg. von Jost Hermand und Gert Mattenklott. Berlin/West 1988. S. 70–95

Arnold Zweig. Poetik, Judentum und Politik. Akten des Internationalen Arnold Zweig-Symposiums aus Anlaß des 100. Geburtstags in Cambridge 1987. Hg. von David Midgley, Hans-Harald Müller und Geoffrey Davis. Bern – Frankfurt a. M. – New York 1989

Namenregister

Die kursiv gesetzten Zahlen bezeichnen die Abbildungen

Über den Autor

Jost Hermand, geboren 1930 in Kassel, Studium der Geschichte, Germanistik, Philosophie und Kunstgeschichte in Marburg. Seit 1958 Professor für Neuere deutsche Literatur und Kultur an der University of Wisconsin in Madison (USA). Gastprofessuren in Texas, Harvard, West-Berlin, Bremen, Gießen, Marburg, Kassel, Essen und Freiburg.

Publikationen u. a.: Epochen deutscher Kultur, 5 Bde., mit Richard Hamann, 1959–1975; Synthetisches Interpretieren, 1968; Unbequeme Literatur, 1971; Pop International, 1971; Der Schein des schönen Lebens, 1972; Streitobjekt Heine, 1975; Der frühe Heine, 1976; Stile, Ismen, Etiketten, 1978; Die Kultur der Weimarer Republik, mit Frank Trommler, 1979; Sieben Arten an Deutschland zu leiden, 1979; Orte. Irgendwo. Formen utopischen Denkens, 1981; Konkretes Hören. Zum Inhalt der Instrumentalmusik, 1981; Kultur im Wiederaufbau. 1945–1965, 1986; Adolph Menzel (Rowohlt-Monographie), 1986; Geschichten aus dem Ghetto (Hg.), 1987; Die Kultur der Bundesrepublik Deutschland 1965–1985, 1988; Der alte Traum vom neuen Reich. Völkische Utopien und Nationalsozialismus, 1988. Mitherausgeber der Wisconsin Workshop Series, der Reihe «Literatur im historischen Prozeß» und der Zeitschrift «Klangspuren».

Danksagung

Mein Hauptdank für großzügige Hilfe bei der Zusammenstellung der Materialien sowie für viele Auskünfte und Korrekturen gilt Ilse Lange. Doch auch Walter Grab und Adam Zweig bin ich für manchen wichtigen Hinweis verpflichtet.

Quellennachweis der Abbildungen

Arnold-Zweig-Archiv, Berlin: 6, 8, 10, 11, 13, 15, 18, 21, 26, 28/29, 38/39, 46, 52/53, 55, 58, 60/61, 63, 65, 66, 69, 79, 86, 88, 89, 90, 98, 105, 106, 110, 111, 113, 114, 116, 117, 119, 121, 122, 127, 129, 133, 134
Aus: Ost und West, 1901: 22
Bayerische Staatsgemäldesammlungen, München: 27
Aus: Hermann Struck und Arnold Zweig, Das ostjüdische Antlitz, Berlin 1920: 32, 40
Aus: Grete Schaeder, Hg., Martin Buber: Briefwechsel, Bd. 1, Heidelberg 1972: 34
Aus: Richard Hamann und Jost Hermand: Expressionismus, München 1976: 36
Aus: Die Pleite, November 1923. © VG Bild-Kunst, Bonn, 1990: 43
Ullstein Bilderdienst, Berlin: 44
Sammlung des Autors: 47, 72, 92, 100
Aus: Eberhard Hilscher, Arnold Zweig, Berlin 1985: 50
Aus: Simplicissimus, 21. 3. 1927: 57
Aus: Heinrich Breloer und Horst Königstein, Blutgeld, Köln 1982: 73
Aus: Volker Skierka, Lion Feuchtwanger, Berlin 1984: 75, 120
Aus: Georg Wenzel, Hg., Arnold Zweig 1887–1968, Berlin und Weimar 1978: 82, 108
Aus: Portraits and Self Portraits, Boston 1936: 84
Aus: Arbeiter-Illustrierten Zeitung, 1934, Nr. 10: 93
Städtisches Museum, Mühlheim an der Ruhr: 94/95
Stefan Rothe, Frankfurt: 102
Aus: Literaturkalender, 1987: 125
Aus: A Palestine Picture Book, New York 1947 (Foto: Jakob Rosner): 77